과학탐구영역 | 화학 I

**본 교재의 강의는 TV와 모바일, EBS*i* 사이트(www.ebs*i*.co.kr)에서 무료로 제공됩니다.**

**발행일** 2021. 2. 10. **3쇄 인쇄일** 2021. 12. 16. **신고번호** 제2017-000193호
**펴낸곳** 한국교육방송공사 경기도 고양시 일산동구 한류월드로 281
**기획 및 개발** EBS 교재 개발팀
**표지디자인** 디자인싹 **편집** 신흥이앤비 **인쇄** 팩컴코리아㈜
인쇄 과정 중 잘못된 교재는 구입하신 곳에서 교환하여 드립니다.

정답과 해설은 EBS*i* 사이트(www.ebs*i*.co.kr)에서 다운로드 받으실 수 있습니다.

| 교재 내용 문의 | 교재 및 강의 내용 문의는 EBS*i* 사이트 (www.ebs*i*.co.kr)의 학습 Q&A 서비스를 활용하시기 바랍니다. |
|---|---|
| 교재 정오표 공지 | 발행 이후 발견된 정오 사항을 EBS*i* 사이트 정오표 코너에서 알려 드립니다. **교재 ▶ 교재 자료실 ▶ 교재 정오표** |
| 교재 정정 신청 | 공지된 정오 내용 외에 발견된 정오 사항이 있다면 EBS*i* 사이트를 통해 알려 주세요. **교재 ▶ 교재 정정 신청** |

과학탐구영역 | 화학 I

# 이 책의 **구성과 특징**

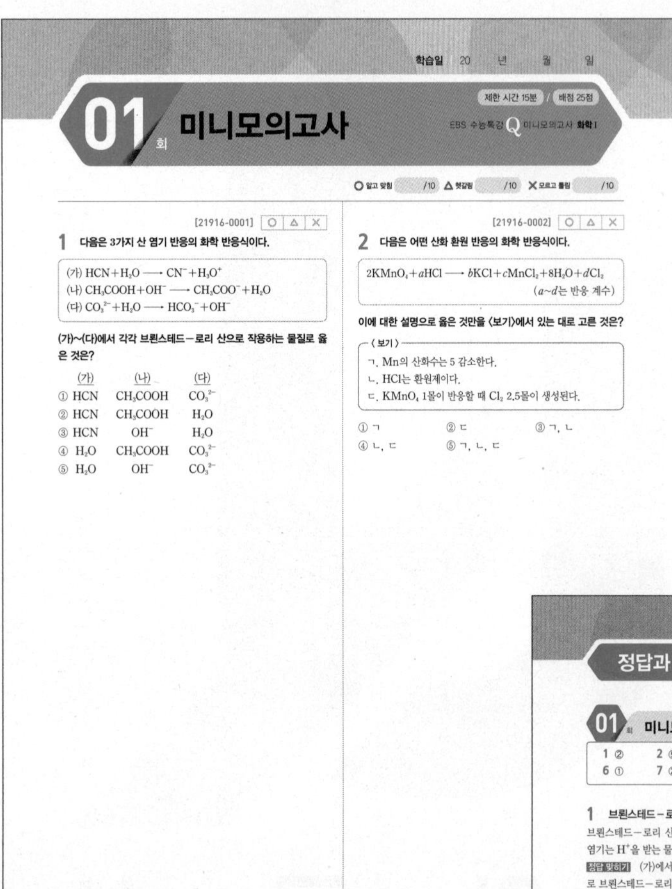

학습일 20 년 월 일

## 01회 미니모의고사

제한 시간 15분 / 배점 25점

EBS 수능특강 Q 미니모의고사 화학 I

○ 알고 맞힘 /10 △ 헷갈림 /10 ✕ 모르고 틀림 /10

[21916-0001] ○ △ ✕

**1** 다음은 3가지 산 염기 반응의 화학 반응식이다.

(가) $HCN + H_2O \longrightarrow CN^- + H_3O^+$
(나) $CH_3COOH + OH^- \longrightarrow CH_3COO^- + H_2O$
(다) $CO_3^{2-} + H_2O \longrightarrow HCO_3^- + OH^-$

(가)~(다)에서 각각 브뢴스테드-로리 산으로 작용하는 물질로 옳은 것은?

| | (가) | (나) | (다) |
|---|---|---|---|
| ① | $HCN$ | $CH_3COOH$ | $CO_3^{2-}$ |
| ② | $HCN$ | $CH_3COOH$ | $H_2O$ |
| ③ | $HCN$ | $OH^-$ | $H_2O$ |
| ④ | $H_2O$ | $CH_3COOH$ | $CO_3^{2-}$ |
| ⑤ | $H_2O$ | $OH^-$ | $CO_3^{2-}$ |

[21916-0002] ○ △ ✕

**2** 다음은 어떤 산화 환원 반응의 화학 반응식이다.

$2KMnO_4 + aHCl \longrightarrow bKCl + cMnCl_2 + 8H_2O + dCl_2$
($a$~$d$는 반응 계수)

이에 대한 설명으로 옳은 것만을 〈보기〉에서 있는 대로 고른 것은?

〈보기〉
ㄱ. Mn의 산화수는 5 감소한다.
ㄴ. HCl는 환원제이다.
ㄷ. $KMnO_4$ 1몰이 반응할 때 $Cl_2$ 2.5몰이 생성된다.

① ㄱ ② ㄷ ③ ㄱ, ㄴ
④ ㄴ, ㄷ ⑤ ㄱ, ㄴ, ㄷ

4 • EBS 수능특강Q 미니모의고사 화학 I

- 한국교육과정평가원이 감수한 과년도 EBS 수능 연계교재의 우수 문항을 선제하여 미니모의고사 형태로 구성하였습니다.
- 제한 시간 내에 문제를 푸는 연습을 통해 실전에 대비할 수 있습니다.
- 문항에 따라 배점이 다릅니다. 3점 문항에는 점수가 표시되어 있고, 점수 표시가 없는 문항은 모두 2점입니다.

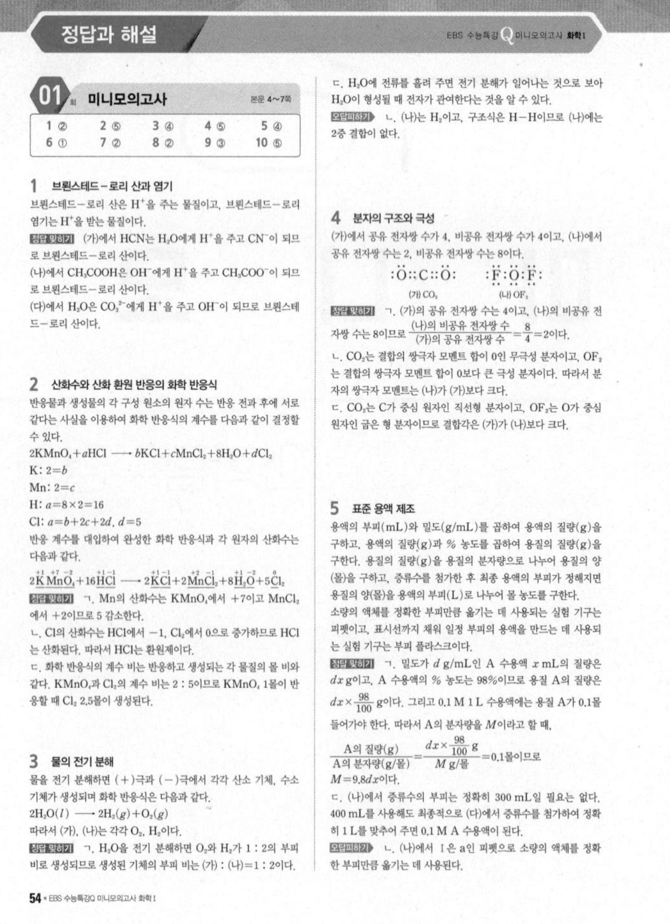

## 정답과 해설

EBS 수능특강 Q 미니모의고사 화학 I

### 01회 미니모의고사 (본문 4~7쪽)

| 1 ② | 2 ⑤ | 3 ④ | 4 ⑤ | 5 ④ |
|---|---|---|---|---|
| 6 ① | 7 ② | 8 ② | 9 ③ | 10 ⑤ |

**1 브뢴스테드-로리 산과 염기**

브뢴스테드-로리 산은 $H^+$을 주는 물질이고, 브뢴스테드-로리 염기는 $H^+$을 받는 물질이다.

정답 맞히기 (가)에서 HCN는 $H_2O$에게 $H^+$을 주고 $CN^-$이 되므로 브뢴스테드-로리 산이다.
(나)에서 $CH_3COOH$은 $OH^-$에게 $H^+$을 주고 $CH_3COO^-$이 되므로 브뢴스테드-로리 산이다.
(다)에서 $H_2O$은 $CO_3^{2-}$에게 $H^+$을 주고 $OH^-$이 되므로 브뢴스테드-로리 산이다.

**2 산화수와 산화 환원 반응의 화학 반응식**

반응물과 생성물의 각 구성 원소의 원자 수는 반응 전과 후에 서로 같다는 사실을 이용하여 화학 반응식의 계수를 다음과 같이 결정할 수 있다.

$2KMnO_4 + aHCl \longrightarrow bKCl + cMnCl_2 + 8H_2O + dCl_2$
K: $2=b$
Mn: $2=c$
H: $a=8\times2=16$
Cl: $a=b+2c+2d$, $d=5$

반응 계수를 대입하여 완성한 화학 반응식과 각 원자의 산화수는 다음과 같다.

$2\overset{+1}{K}\overset{+7}{Mn}\overset{-2}{O_4} + 16\overset{+1}{H}\overset{-1}{Cl} \longrightarrow 2\overset{+1}{K}\overset{-1}{Cl} + 2\overset{+2}{Mn}\overset{-1}{Cl_2} + 8\overset{+1}{H_2}\overset{-2}{O} + 5\overset{0}{Cl_2}$

정답 맞히기 ㄱ. Mn의 산화수는 $KMnO_4$에서 +7이고 $MnCl_2$에서 +2이므로 5 감소한다.
ㄴ. Cl의 산화수는 HCl에서 −1, $Cl_2$에서 0으로 증가하므로 HCl는 산화된다. 따라서 HCl는 환원제이다.
ㄷ. 화학 반응식의 계수 비는 반응하고 생성되는 각 물질의 몰 비와 같다. $KMnO_4$과 $Cl_2$의 계수 비는 2 : 5이므로 $KMnO_4$ 1몰이 반응할 때 $Cl_2$ 2.5몰이 생성된다.

**3 물의 전기 분해**

물을 전기 분해하면 (+)극과 (−)극에서 각각 산소 기체, 수소 기체가 생성되며 화학 반응식은 다음과 같다.

$2H_2O(l) \longrightarrow 2H_2(g) + O_2(g)$

따라서 (가), (나)는 각각 $O_2$, $H_2$이다.

정답 맞히기 ㄱ. $H_2O$을 전기 분해하면 $O_2$와 $H_2$가 1 : 2의 부피비로 생성되므로 생성된 기체의 부피 비는 (가) : (나)=1 : 2이다.
ㄷ. $H_2O$에 전류를 흘려 주면 전기 분해가 일어나는 것으로 보아 $H_2O$이 형성될 때 전자가 관여한다는 것을 알 수 있다.

오답 피하기 ㄴ. (나)는 $H_2$이고, 구조식은 H−H이므로 (나)에는 2중 결합이 없다.

**4 분자의 구조와 극성**

(가)에서 공유 전자쌍 수가 4, 비공유 전자쌍 수가 4이고, (나)에서 공유 전자쌍 수는 2, 비공유 전자쌍 수는 8이다.

:Ö::C::Ö: :F̤̈:Ö̤:F̤̈:
(가) $CO_2$ (나) $OF_2$

정답 맞히기 ㄱ. (가)의 공유 전자쌍 수는 4이고, (나)의 비공유 전자쌍 수는 8이므로 $\frac{\text{(나)의 비공유 전자쌍 수}}{\text{(가)의 공유 전자쌍 수}}=\frac{8}{4}=2$이다.
ㄴ. $CO_2$는 결합의 쌍극자 모멘트 합이 0인 무극성 분자이고, $OF_2$는 결합의 쌍극자 모멘트 합이 0보다 큰 극성 분자이다. 따라서 분자의 쌍극자 모멘트는 (나)가 (가)보다 크다.
ㄷ. $CO_2$는 C가 중심 원자인 직선형 분자이고, $OF_2$는 O가 중심 원자인 굽은 형 분자이므로 결합각은 (가)가 (나)보다 크다.

**5 표준 용액 제조**

용액의 부피(mL)와 밀도(g/mL)를 곱하여 용액의 질량(g)을 구하고, 용액의 질량(g)과 % 농도를 곱하여 용질의 질량(g)을 구한다. 용질의 질량(g)을 용질의 분자량으로 나누어 용질의 양(몰)을 구하고, 증류수를 첨가한 후 최종 용액의 부피가 정해지면 용질의 양(몰)을 용액의 부피(L)로 나누어 몰 농도를 구한다.
소량의 액체를 정확한 부피만큼 옮기는 데 사용되는 실험 기구는 피펫이고, 표시선까지 채워 일정 부피의 용액을 만드는 데 사용되는 실험 기구는 부피 플라스크이다.

정답 맞히기 ㄱ. 밀도가 $d$ g/mL인 A 수용액 $x$ mL의 질량은 $dx$ g이고, A 수용액의 % 농도는 98%이므로 용질 A의 질량은 $dx\times\frac{98}{100}$ g이다. 그리고 0.1 M 1 L 수용액에는 용질 A가 0.1몰 들어가야 한다. 따라서 A의 분자량을 $M$이라고 할 때,

$\frac{\text{A의 질량(g)}}{\text{A의 분자량(g/몰)}}=\frac{dx\times\frac{98}{100}\text{ g}}{M\text{ g/몰}}=0.1$몰이므로 $M=9.8dx$이다.

ㄷ. (나)에서 증류수의 부피는 정확히 300 mL일 필요는 없다. 400 mL를 사용해도 최종적으로 (다)에서 증류수를 첨가하여 정확히 1 L를 맞추어 주면 0.1 M A 수용액이 된다.

오답 피하기 ㄴ. (나)에서 I은 a인 피펫으로 소량의 액체를 정확한 부피만큼 옮기는 데 사용된다.

54 • EBS 수능특강Q 미니모의고사 화학 I

≫

학습자 스스로 문제의 핵심을 파악할 수 있도록 명확한 해설을 제공합니다. 잘 풀리지 않는 문제는 해설을 통해 확실히 이해할 수 있습니다.

# 이 책의 차례

※ 미니모의고사 학습 계획을 세우고 매일 실천해 보세요!
※ 풀이 시간과 틀린 문항을 정리해 복습에 활용하세요!



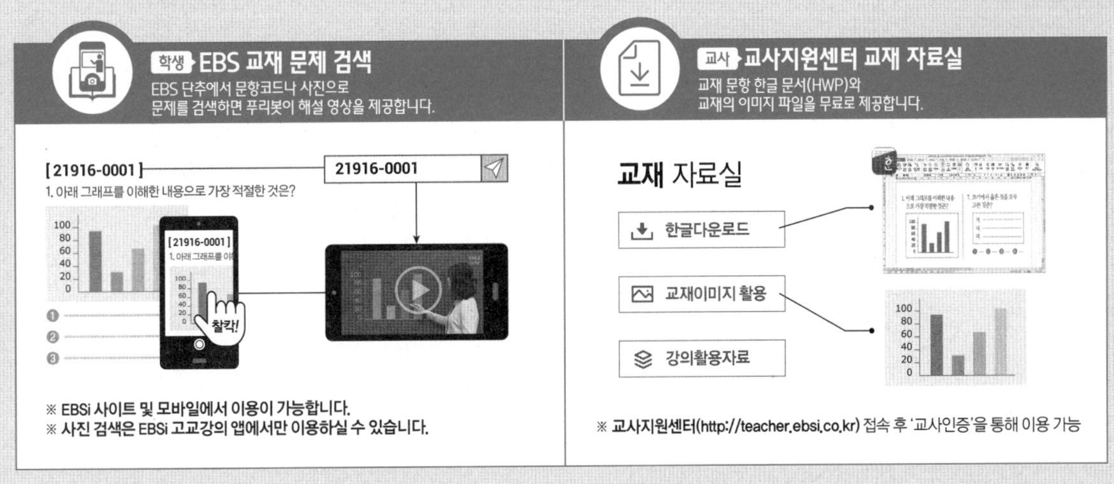

# 01회 미니모의고사

제한 시간 15분 / 배점 25점



○ 알고 맞힘 /10 △ 헷갈림 /10 ✕ 모르고 틀림 /10

[21916-0001] ○ △ ✕

**1** **다음은 3가지 산 염기 반응의 화학 반응식이다.**

(가) $HCN + H_2O \longrightarrow CN^- + H_3O^+$
(나) $CH_3COOH + OH^- \longrightarrow CH_3COO^- + H_2O$
(다) $CO_3^{2-} + H_2O \longrightarrow HCO_3^- + OH^-$

**(가)~(다)에서 각각 브뢴스테드-로리 산으로 작용하는 물질로 옳은 것은?**

| | (가) | (나) | (다) |
|---|---|---|---|
| ① | $HCN$ | $CH_3COOH$ | $CO_3^{2-}$ |
| ② | $HCN$ | $CH_3COOH$ | $H_2O$ |
| ③ | $HCN$ | $OH^-$ | $H_2O$ |
| ④ | $H_2O$ | $CH_3COOH$ | $CO_3^{2-}$ |
| ⑤ | $H_2O$ | $OH^-$ | $CO_3^{2-}$ |

[21916-0002] ○ △ ✕

**2** **다음은 어떤 산화 환원 반응의 화학 반응식이다.**

$2KMnO_4 + aHCl \longrightarrow bKCl + cMnCl_2 + 8H_2O + dCl_2$
($a$~$d$는 반응 계수)

**이에 대한 설명으로 옳은 것만을 〈보기〉에서 있는 대로 고른 것은?**

〈보기〉
ㄱ. Mn의 산화수는 5 감소한다.
ㄴ. HCl는 환원제이다.
ㄷ. $KMnO_4$ 1몰이 반응할 때 $Cl_2$ 2.5몰이 생성된다.

① ㄱ ② ㄷ ③ ㄱ, ㄴ
④ ㄴ, ㄷ ⑤ ㄱ, ㄴ, ㄷ

[21916-0003] 

**3** **그림은 물($H_2O$)을 전기 분해하는 모습을 나타낸 것이다. (+)극과 (−)극에서 생성되는 기체는 각각 (가), (나)이다.**

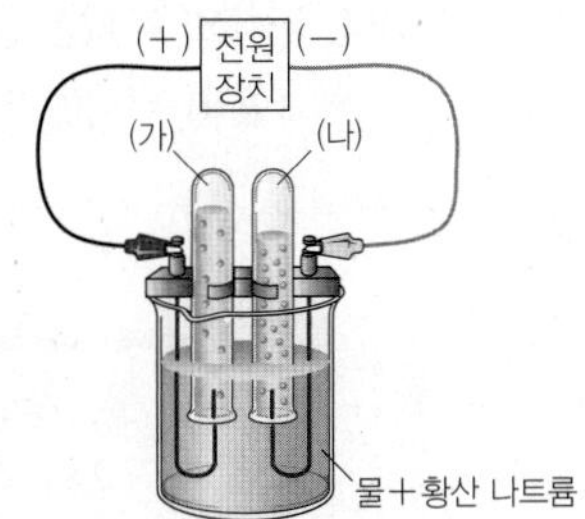


**이에 대한 설명으로 옳은 것만을 <보기>에서 있는 대로 고른 것은?**

〈 보기 〉

ㄱ. 생성된 기체의 부피 비는 (가) : (나)=1 : 2이다.
ㄴ. (나)에는 2중 결합이 있다.
ㄷ. 이 실험을 통해 $H_2$와 $O_2$가 결합하여 $H_2O$이 형성될 때 전자가 관여한다는 것을 알 수 있다.

① ㄴ ② ㄷ ③ ㄱ, ㄴ
④ ㄱ, ㄷ ⑤ ㄱ, ㄴ, ㄷ

[21916-0004] 

**4** **그림은 분자 (가)와 (나)의 루이스 전자점식을 나타낸 것이다.**

$$:\ddot{O}::C::\ddot{O}: \qquad :\ddot{\underset{..}{F}}:\ddot{\underset{..}{O}}:\ddot{\underset{..}{F}}:$$

(가) (나)

**이에 대한 설명으로 옳은 것만을 <보기>에서 있는 대로 고른 것은?**

〈 보기 〉

ㄱ. $\frac{\text{(나)의 비공유 전자쌍 수}}{\text{(가)의 공유 전자쌍 수}}$=2이다.
ㄴ. 분자의 쌍극자 모멘트는 (나)가 (가)보다 크다.
ㄷ. 결합각은 (가)가 (나)보다 크다.

① ㄱ ② ㄴ ③ ㄱ, ㄷ
④ ㄴ, ㄷ ⑤ ㄱ, ㄴ, ㄷ

[21916-0005] 

**5** **다음은 0.1 M A 수용액을 만드는 데 필요한 실험 기구 중 일부와 실험 과정이다. Ⅰ~Ⅲ은 각각 a~c 중 하나이다.**

[실험 기구]

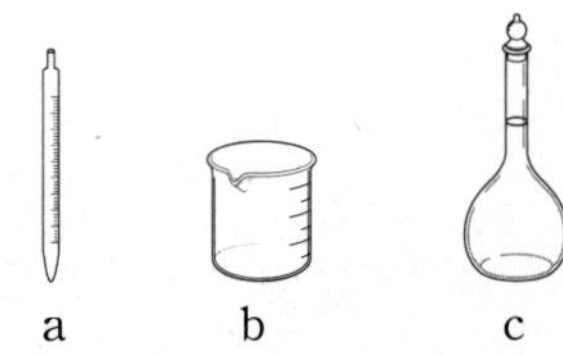


[실험 과정]

(가) 밀도가 $d$ g/mL인 98% A 수용액을 준비한다.
(나) (가)의 A 수용액 $x$ mL를 Ⅰ로 정확히 취한 후, 300 mL의 증류수가 담긴 Ⅱ에 조금씩 넣으며 저어 준다.
(다) (나)의 용액을 1 L의 Ⅲ에 모두 옮긴 후 표시선까지 증류수를 채운다.

**이에 대한 설명으로 옳은 것만을 <보기>에서 있는 대로 고른 것은?**

〈 보기 〉

ㄱ. A의 분자량은 $9.8dx$이다.
ㄴ. Ⅰ은 b이다.
ㄷ. (나)에서 400 mL의 증류수를 사용해도 (다)에서 0.1 M A 수용액이 된다.

① ㄱ ② ㄴ ③ ㄷ
④ ㄱ, ㄷ ⑤ ㄴ, ㄷ

[21916-0006] ○ △ ×

**6** **다음은 2, 3주기 원소 A~C의 바닥상태 원자에 대한 자료이다.**

○ A~C의 홀전자 수의 합은 8이다.
○ A와 B는 같은 족 원소이다.
○ $\frac{p\text{ 오비탈의 전자 수}}{s\text{ 오비탈의 전자 수}}$는 C>A>B이다.

**이에 대한 설명으로 옳은 것만을 <보기>에서 있는 대로 고른 것은? (단, A~C는 임의의 원소 기호이다.) [3점]**

〈 보기 〉

ㄱ. A는 2주기 원소이다.
ㄴ. 원자가 전자가 느끼는 유효 핵전하는 C가 A보다 크다.
ㄷ. 전자가 들어 있는 오비탈의 수는 C가 B의 2배보다 크다.

① ㄴ ② ㄷ ③ ㄱ, ㄴ
④ ㄱ, ㄷ ⑤ ㄱ, ㄴ, ㄷ

[21916-0007] O △ X

**7** 그림 (가)와 (나)는 원소 A~E의 원자 반지름 또는 이온 반지름의 상댓값을 나타낸 것이다. A~E는 각각 Li, O, F, Na, Mg 중 하나이며, 각 원자의 이온은 $Li^+$, $O^{2-}$, $F^-$, $Na^+$, $Mg^{2+}$이고 C와 D의 이온은 전자 수가 같다.

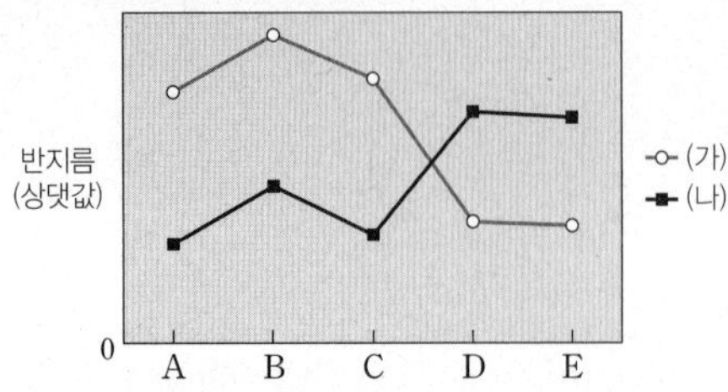


이에 대한 설명으로 옳은 것만을 <보기>에서 있는 대로 고른 것은? [3점]

<보기>

ㄱ. (가)는 이온 반지름이다.

ㄴ. A와 E의 양성자수의 합은 C의 양성자수와 같다.

ㄷ. $\frac{\text{제2 이온화 에너지}}{\text{제1 이온화 에너지}}$는 C가 B보다 크다.

① ㄱ ② ㄴ ③ ㄱ, ㄷ
④ ㄴ, ㄷ ⑤ ㄱ, ㄴ, ㄷ

[21916-0008] O △ X

**8** 그림 (가)는 실린더에 $A_2(g)$ 5.6 g과 $B_2(g)$ 3.2 g을 넣은 모습을, (나)는 (가)의 반응물이 모두 반응하여 $A_2B(g)$가 생성된 모습을 모형으로 나타낸 것이다. 기체의 부피는 (가)가 7.5 L, (나)가 $V$ L이고, 실험 조건에서 기체 1몰의 부피는 25 L이다.

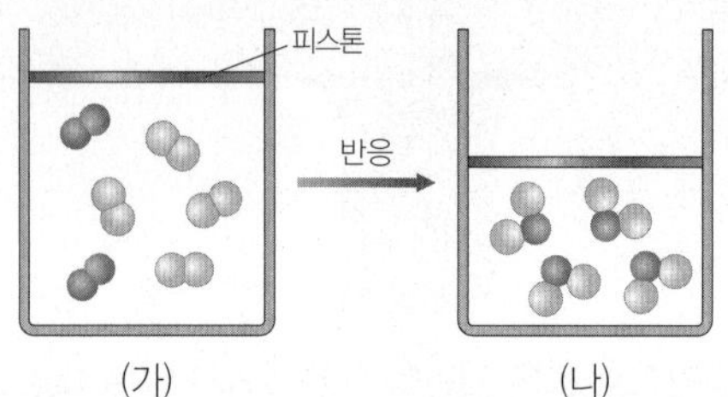


$\frac{A_2B\text{의 분자량}}{V}$은? (단, A, B는 임의의 원소 기호이고, 온도와 압력은 일정하며, 피스톤의 질량과 마찰은 무시한다.) [3점]

① $\frac{22}{5}$ ② $\frac{44}{5}$ ③ $\frac{66}{5}$
④ $\frac{88}{5}$ ⑤ 44

[21916-0009] ○ △ ×

**9** 다음은 $A(g)$와 $B(g)$가 반응하여 $C(g)$가 생성되는 반응의 화학 반응식이다.

$$aA(g)+bB(g) \longrightarrow 2C(g)\ (a,\ b\text{는 반응 계수})$$

그림은 $w$ g의 $A(g)$가 들어 있는 실린더에 $B(g)$를 넣어 반응을 완결시켰을 때, 넣어 준 B의 질량에 따른 전체 기체의 부피(상댓값)를 나타낸 것이다.

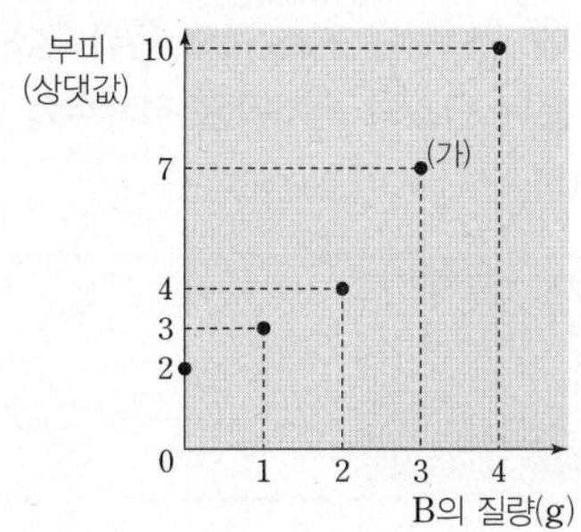


이에 대한 설명으로 옳은 것만을 〈보기〉에서 있는 대로 고른 것은? (단, 반응 전과 후 온도와 압력은 일정하다.) [3점]

〈 보기 〉

ㄱ. $a:b=1:3$이다.

ㄴ. (가)에서 반응 후 남은 $B(g)$를 모두 반응시키기 위해 필요한 $A(g)$의 질량은 $\frac{w}{2}$ g이다.

ㄷ. $\frac{\text{A의 분자량}}{\text{C의 분자량}}=\frac{w+2}{2w}$이다.

① ㄱ ② ㄷ ③ ㄱ, ㄴ
④ ㄴ, ㄷ ⑤ ㄱ, ㄴ, ㄷ

[21916-0010] ○ △ ×

**10** 다음은 중화 반응 실험이다.

[실험 과정]

(가) $HCl(aq)$ 20 mL와 $NaOH(aq)$ 40 mL를 준비한다.

(나) 준비한 $HCl(aq)$ 20 mL에 $NaOH(aq)$ 10 mL를 넣어 용액 Ⅰ을 만든다.

(다) 용액 Ⅰ에 $NaOH(aq)$ 20 mL를 더 넣어 용액 Ⅱ를 만든다.

[실험 결과]

| 이온의 종류 | 단위 부피당 이온 수 | | |
|---|---|---|---|
| | $HCl(aq)$ | 용액 Ⅰ | 용액 Ⅱ |
| A 이온 | $9N$ | $6N$ | $x$ |
| B 이온 | 0 | $2N$ | $x$ |

이에 대한 설명으로 옳은 것만을 〈보기〉에서 있는 대로 고른 것은? (단, 혼합 용액의 부피는 혼합 전 각 용액의 부피의 합과 같다.) [3점]

〈 보기 〉

ㄱ. A는 구경꾼 이온이다.

ㄴ. $x=3.6N$이다.

ㄷ. 용액 Ⅱ에 $NaOH(aq)$ 10 mL를 더 넣으면 단위 부피당 전체 이온 수는 $8N$이다.

① ㄱ ② ㄷ ③ ㄱ, ㄴ
④ ㄴ, ㄷ ⑤ ㄱ, ㄴ, ㄷ

# 02회 미니모의고사

제한 시간 15분 / 배점 25점



○ 알고 맞힘 /10 △ 헷갈림 /10 ✕ 모르고 틀림 /10

[21916-0011] ○ △ ✕

**1** 다음은 과산화 수소($H_2O_2$)와 관련된 반응의 화학 반응식이다.

$H_2O_2 + aH_2S \longrightarrow bH_2O + cS$ ($a$~$c$는 반응 계수)

이 반응에 대한 설명으로 옳은 것만을 〈보기〉에서 있는 대로 고른 것은?

〈보기〉

ㄱ. $a+b+c=4$이다.
ㄴ. O의 산화수는 변하지 않는다.
ㄷ. $H_2S$는 환원제이다.

① ㄱ ② ㄴ ③ ㄱ, ㄷ
④ ㄴ, ㄷ ⑤ ㄱ, ㄴ, ㄷ

[21916-0012] ○ △ ✕

**2** 표는 자연계에 존재하는 원소 X의 동위 원소 (가), (나)에 대한 자료이다. 각 동위 원소의 원자량은 질량수와 같고, X의 평균 원자량은 10.8이다.

| 동위 원소 | (가) | (나) |
|---|---|---|
| 질량수 | $2a$ | $2a+1$ |
| 자연계 존재 비율(%) | $x$ | $y$ |

$a \times x$는? (단, X는 임의의 원소 기호이며, X의 동위 원소는 (가)와 (나)만 존재한다고 가정한다.)

① 100 ② 120 ③ 300
④ 400 ⑤ 480

[21916-0013] 

**3** **다음은 진공 상태인 강철 용기에 물을 넣어 평형에 도달하는 과정이다.**

(가) 용기에 물을 넣은 직후
(나) 10분 후(평형 도달 전)
(다) 충분한 시간이 경과하여 평형 상태에 도달한 후
(이때 물이 약간 남아 있음)

**(가)~(다)에 대한 설명으로 옳은 것만을 〈보기〉에서 있는 대로 고른 것은? (단, 온도는 일정하다.)**

〈 보기 〉
ㄱ. (가)에서 물의 증발 속도는 수증기의 응축 속도보다 빠르다.
ㄴ. 수증기의 압력은 (나)에서가 가장 크다.
ㄷ. 물의 증발 속도는 (나)에서가 (다)에서보다 빠르다.

① ㄱ ② ㄴ ③ ㄱ, ㄷ
④ ㄴ, ㄷ ⑤ ㄱ, ㄴ, ㄷ

[21916-0014] 

**4** **다음은 전자쌍 반발 원리와 이를 설명하기 위한 활동이다.**

○ 전자쌍 반발 원리: 중심 원자 주위의 전자쌍들은 서로 반발하여 가능한 멀리 떨어져 있으려고 한다.
○ 풍선을 이용한 활동: 크기가 같은 풍선의 매듭을 함께 묶어 분자 (가)~(다)의 구조를 예측한다.

| 분자 | (가) | (나) | (다) |
|---|---|---|---|
| 풍선 수(개) | 2 | 3 | 4 |
| 모양 | | | |
| | 직선형 | 평면 삼각형 | ㉠ |

**이에 대한 설명으로 옳은 것만을 〈보기〉에서 있는 대로 고른 것은?**

〈 보기 〉
ㄱ. 풍선 수는 중심 원자의 비공유 전자쌍 수와 같다.
ㄴ. $BF_3$는 (나)에 해당한다.
ㄷ. ㉠은 평면 사각형이다.

① ㄱ ② ㄴ ③ ㄱ, ㄷ
④ ㄴ, ㄷ ⑤ ㄱ, ㄴ, ㄷ

[21916-0015]

**5** **그림은 4가지 분자를 주어진 기준에 따라 분류한 것이다.**

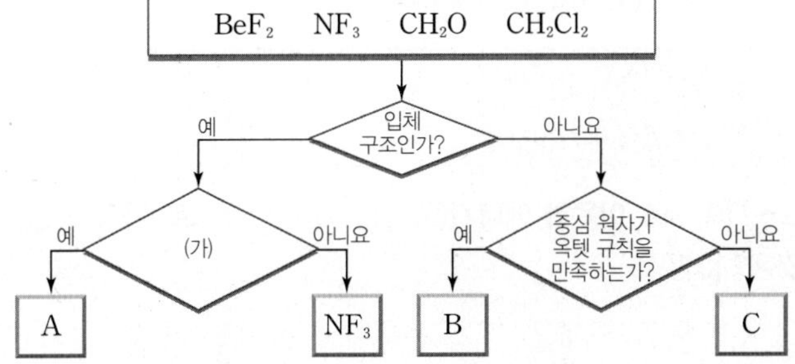


**이에 대한 설명으로 옳은 것만을 〈보기〉에서 있는 대로 고른 것은?**

〈 보기 〉
ㄱ. (가)에 '분자 내 결합각은 모두 같은가?'를 적용할 수 있다.
ㄴ. B에는 다중 결합이 있다.
ㄷ. 분자 내 모든 결합각은 C가 A보다 크다.

① ㄱ ② ㄴ ③ ㄱ, ㄷ
④ ㄴ, ㄷ ⑤ ㄱ, ㄴ, ㄷ

[21916-0016]

**6** **표는 2, 3주기 원소 A와 B의 바닥상태에 있는 원자 또는 이온의 $\frac{p\text{ 오비탈의 총 전자 수}}{s\text{ 오비탈의 총 전자 수}}$를 나타낸 것이다.**

| 입자 | A | $A^-$ | B | $B^+$ |
|---|---|---|---|---|
| $\frac{p\text{ 오비탈의 총 전자 수}}{s\text{ 오비탈의 총 전자 수}}$ | $\frac{3}{4}$ | $a$ | 1 | $\frac{6}{5}$ |

**이에 대한 설명으로 옳은 것만을 〈보기〉에서 있는 대로 고른 것은? (단, A, B는 임의의 원소 기호이다.) [3점]**

〈 보기 〉
ㄱ. $A^-$과 B의 전자 배치는 같다.
ㄴ. A와 B는 같은 주기의 원소이다.
ㄷ. 바닥상태의 $A^{3-}$과 $B^{2+}$의 전자 배치는 같다.

① ㄱ ② ㄷ ③ ㄱ, ㄴ
④ ㄴ, ㄷ ⑤ ㄱ, ㄴ, ㄷ

[21916-0017]  ○ △ ✕

**7** 표는 원소 A~D의 원자 반지름을 나타낸 것이다. A~D는 각각 O, F, Na, Mg 중 하나이다.

| 원소 | A | B | C | D |
|---|---|---|---|---|
| 반지름(pm) | 71 | 73 | 160 | 186 |

A~D의 제2 이온화 에너지($E_2$)를 나타낸 것으로 가장 적절한 것은? [3점]

①
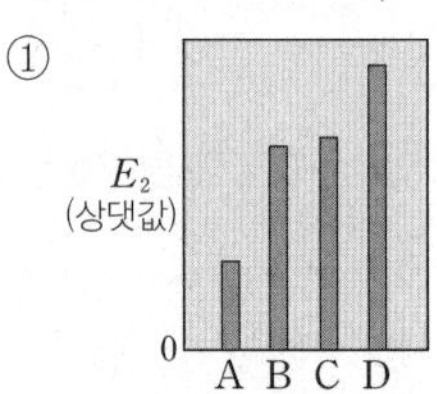

②
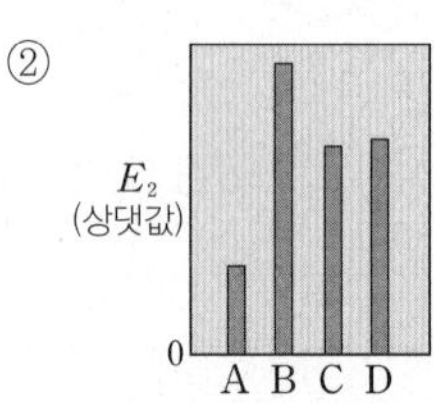

③
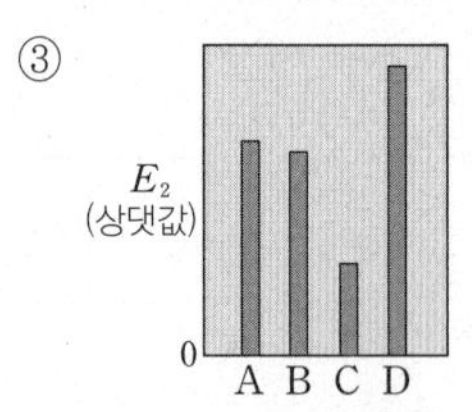

④
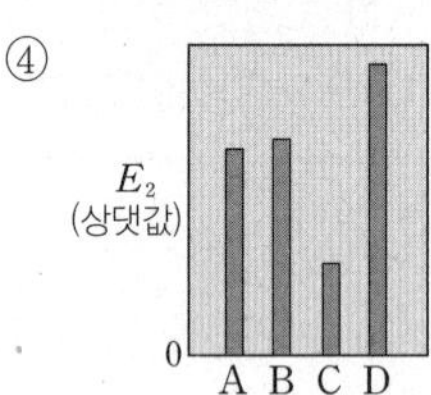

⑤
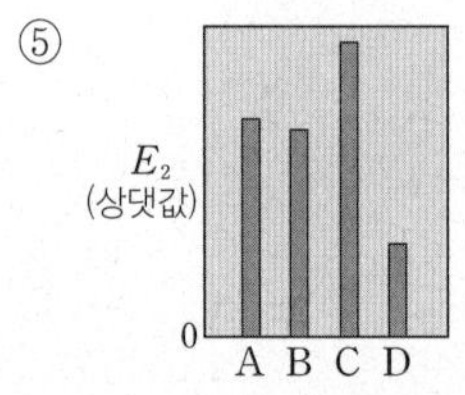

[21916-0018]  ○ △ ✕

**8** 표는 $t$℃, 1기압에서 기체 (가)~(다)에 대한 자료의 일부이다.

| 기체 | 1 L의 질량(g) | 1 g의 부피(L) | 분자량 |
|---|---|---|---|
| (가) | $16w$ | | |
| (나) | | $\frac{1}{w}$ | $x$ |
| (다) | | | $15x$ |

이에 대한 설명으로 옳은 것만을 〈보기〉에서 있는 대로 고른 것은? [3점]

〈 보기 〉
ㄱ. $t$℃, 1기압에서 기체 1몰의 부피는 $\frac{x}{w}$ L이다.
ㄴ. 1몰의 질량 비는 (가) : (다)=16 : 15이다.
ㄷ. 1 L의 질량은 (다)가 (나)의 15배이다.

① ㄱ  ② ㄷ  ③ ㄱ, ㄴ
④ ㄴ, ㄷ  ⑤ ㄱ, ㄴ, ㄷ

[21916-0019]  ○ △ ✕

**9** 표는 $HCl(aq)$, $NaOH(aq)$, $KOH(aq)$의 부피를 달리하여 혼합한 용액 (가)~(다)에 대한 자료이다.

| 혼합 용액 | 혼합 전 용액의 부피(mL) | | | $H^+$ 또는 $OH^-$의 수 |
|---|---|---|---|---|
| | $HCl(aq)$ | $NaOH(aq)$ | $KOH(aq)$ | |
| (가) | 20 | 20 | 10 | $N$ |
| (나) | 40 | 20 | 20 | $2N$ |
| (다) | 40 | 40 | 30 | $3N$ |

(가)에서 ($Cl^-$의 수+$Na^+$의 수 +$K^+$의 수)는? [3점]

① $8N$  ② $9N$  ③ $10N$
④ $11N$  ⑤ $12N$

[21916-0020]  ○ △ ✕

**10** 다음은 기체 A와 B가 반응하여 기체 C가 생성되는 반응의 화학 반응식이다.

$$aA(g)+B(g) \longrightarrow cC(g)\ (a,\ c\text{는 반응 계수})$$

표는 A($g$)와 B($g$)의 양(몰)을 달리하여 반응을 완결시켰을 때, 기체에 대한 자료이다.

| 실험 | 반응 전 기체의 양(몰) | | 반응 후 전체 기체의 양(몰) |
|---|---|---|---|
| | A($g$) | B($g$) | |
| Ⅰ | 1 | 1 | 1.5 |
| Ⅱ | 2 | 0.5 | 2 |
| Ⅲ | 3 | 2 | ㉠ |

이에 대한 설명으로 옳은 것만을 〈보기〉에서 있는 대로 고른 것은? [3점]

〈 보기 〉
ㄱ. $a+c=3$이다.
ㄴ. 생성된 기체 C의 몰 비는 실험 Ⅰ : 실험 Ⅱ=1 : 1이다.
ㄷ. ㉠=3이다.

① ㄱ  ② ㄴ  ③ ㄱ, ㄷ
④ ㄴ, ㄷ  ⑤ ㄱ, ㄴ, ㄷ

# 03회 미니모의고사

제한 시간 15분 / 배점 25점

EBS 수능특강 Q 미니모의고사 화학 I

○ 알고 맞힘 /10 △ 헷갈림 /10 ✕ 모르고 틀림 /10

[21916-0021] ○ △ ✕

**1** **그림은 3가지 화학 반응을 나타낸 것이다.**

알코올의 연소
(가)

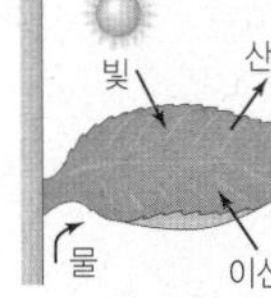

광합성
(나)

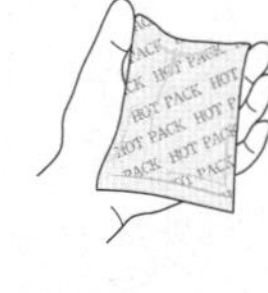

철의 산화(손난로)
(다)

**반응 (가)~(다) 중 에너지를 흡수하는 반응만을 있는 대로 고른 것은?**

① (나) ② (다) ③ (가), (나)
④ (가), (다) ⑤ (가), (나), (다)

[21916-0022] ○ △ ✕

**2** **그림은 2주기 원소 X~Z로 구성된 분자 (가)와 (나)의 루이스 전자점식을 나타낸 것이다.**

$:\ddot{\underset{..}{Y}}:\ddot{\underset{..}{X}}:\ddot{\underset{..}{Y}}:$　　　$:\ddot{X}::Z::\ddot{X}:$

(가)　　　(나)

**이에 대한 설명으로 옳은 것만을 〈보기〉에서 있는 대로 고른 것은? (단, X~Z는 임의의 원소 기호이다.)**

〈보기〉

ㄱ. (가)에서 Y는 부분적인 음전하를 띤다.
ㄴ. X의 산화수 부호는 (가)에서와 (나)에서가 같다.
ㄷ. 분자 $ZY_4$에서 Z의 산화수는 +4이다.

① ㄱ ② ㄴ ③ ㄱ, ㄷ
④ ㄴ, ㄷ ⑤ ㄱ, ㄴ, ㄷ

[21916-0023] ○ △ ×

**3** 그림은 화합물 ABC와 분자 $B_2$의 결합 모형을 나타낸 것이다.

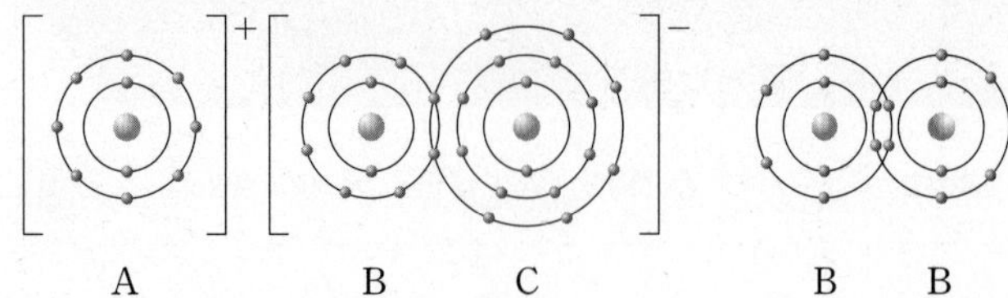


이에 대한 설명으로 옳은 것만을 〈보기〉에서 있는 대로 고른 것은? (단, A~C는 임의의 원소 기호이다.)

〈 보기 〉

ㄱ. A와 B는 같은 주기 원소이다.
ㄴ. 원자가 전자 수는 B와 C가 같다.
ㄷ. A와 C로 이루어진 화합물은 액체 상태에서 전기 전도성이 있다.

① ㄱ ② ㄷ ③ ㄱ, ㄴ
④ ㄴ, ㄷ ⑤ ㄱ, ㄴ, ㄷ

[21916-0024] ○ △ ×

**4** 다음은 구리(Cu)와 관련된 반응의 화학 반응식이다.

(가) 2Cu+ ㉠ ⟶ 2CuO
(나) 2CuO+C ⟶ 2 ㉡ $+CO_2$

이에 대한 설명으로 옳은 것만을 〈보기〉에서 있는 대로 고른 것은?

〈 보기 〉

ㄱ. (가)에서 ㉠은 환원된다.
ㄴ. (나)에서 $CO_2$ 1몰이 생성될 때 이동한 전자는 2몰이다.
ㄷ. (가)와 (나)에서 원자의 산화수 중 가장 큰 값과 가장 작은 값의 차는 6이다.

① ㄱ ② ㄴ ③ ㄱ, ㄷ
④ ㄴ, ㄷ ⑤ ㄱ, ㄴ, ㄷ

[21916-0025] ○ △ ×

**5** 다음은 $a$ M NaOH 수용액을 만드는 실험 과정이다.

(가) NaOH($s$) 4.0 g을 측정하여 200 mL 정도의 증류수가 들어 있는 비커에 넣어 녹인다.
(나) (가)의 비커의 용액을 깔때기를 이용하여 1 L의 ㉠ 에 넣은 다음, 증류수로 비커와 깔때기에 묻어 있는 용액을 씻어 ㉠ 에 넣는다.
(다) (나)의 ㉠ 표시선의 $\frac{2}{3}$ 정도가 되는 부분까지 증류수를 넣은 다음, 마개를 막고 흔들거나 뒤집어서 용액을 잘 섞는다.
(라) 실온으로 식힌 후 씻기병을 이용하여 ㉠ 의 표시선까지 증류수를 가한다.

이에 대한 설명으로 옳은 것만을 〈보기〉에서 있는 대로 고른 것은? (단, NaOH의 화학식량은 40이다.) [3점]

〈 보기 〉

ㄱ. $a$=0.5이다.
ㄴ. ㉠으로 부피 플라스크가 적절하다.
ㄷ. $a$ M NaOH 수용액 200 mL에 증류수를 가하여 500 mL로 만든 용액의 몰 농도는 0.04 M이다.

① ㄱ ② ㄴ ③ ㄷ
④ ㄱ, ㄴ ⑤ ㄴ, ㄷ

[21916-0026] ○ △ ×

**6** 그림은 바닥상태인 원자 X~Z에 대하여 $s$ 오비탈에 들어 있는 전자 수와 $\frac{\text{전자가 들어 있는 } p \text{ 오비탈 수}}{\text{전자가 들어 있는 } s \text{ 오비탈 수}}$를 나타낸 것이다. X~Z의 원자 번호는 20 이하이다.

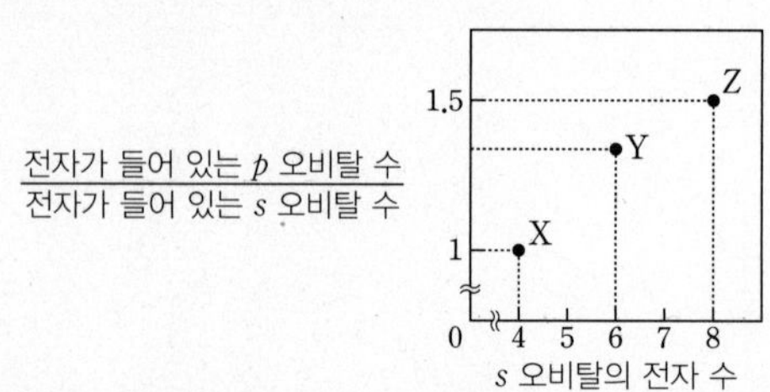


이에 대한 설명으로 옳은 것만을 〈보기〉에서 있는 대로 고른 것은? (단, X~Z는 임의의 원소 기호이다.)

〈 보기 〉

ㄱ. 홀전자 수는 Z가 X보다 크다.
ㄴ. 전자가 들어 있는 전자 껍질 수는 X와 Y가 같다.
ㄷ. Y에서 전자가 들어 있는 $p$ 오비탈 수는 4이다.

① ㄱ ② ㄷ ③ ㄱ, ㄴ
④ ㄴ, ㄷ ⑤ ㄱ, ㄴ, ㄷ

[21916-0027] 

**7** **그림은 주기율표의 빗금 친 부분에 위치하는 원소의 홀전자 수와 제1 이온화 에너지의 상댓값을 나타낸 것이다.**

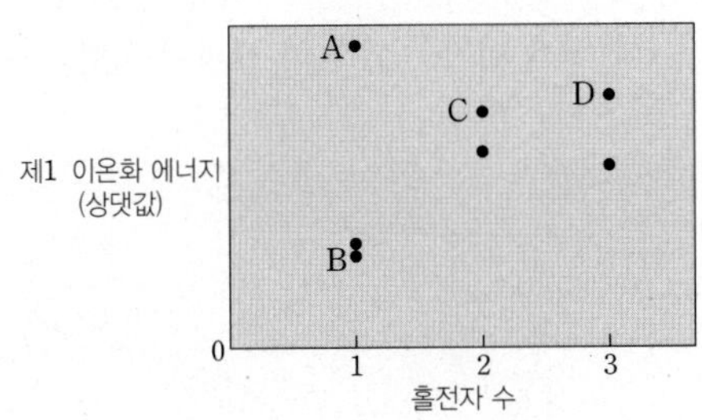


제1 이온화 에너지 (상댓값)

A, B, C, D

0, 1, 2, 3

홀전자 수

**A~D에 대한 설명으로 옳은 것만을 <보기>에서 있는 대로 고른 것은? (단, A~D는 임의의 원소 기호이다.) [3점]**

〈 보기 〉

ㄱ. 2주기 원소는 2가지이다.

ㄴ. 원자 반지름은 B가 A보다 크다.

ㄷ. $\dfrac{\text{제2 이온화 에너지}}{\text{제1 이온화 에너지}}$는 D가 C보다 크다.

① ㄴ ② ㄷ ③ ㄱ, ㄴ
④ ㄱ, ㄷ ⑤ ㄱ, ㄴ, ㄷ

[21916-0028] 

**8** **표는 기체 XY와 $Y_2$가 들어 있는 실린더에서 두 기체가 반응하여 기체 $XY_2$를 생성할 때, 반응 전과 후에 대한 자료이다. 반응 전 실린더에 들어 있는 기체의 양(몰)은 서로 다르다.**

| | 반응 전 | 반응 후 |
|---|---|---|
| 기체의 종류 | XY, $Y_2$ | $XY_2$, ㉠ |
| 전체 기체의 부피(상댓값) | 4 | 3 |

**이에 대한 설명으로 옳은 것만을 <보기>에서 있는 대로 고른 것은? (단, X, Y는 임의의 원소 기호이며, 반응 전과 후 기체의 온도와 압력은 일정하다.) [3점]**

〈 보기 〉

ㄱ. 반응 전 실린더에 들어 있는 분자 수는 XY가 $Y_2$보다 많다.

ㄴ. ㉠은 $Y_2$이다.

ㄷ. 반응 후 실린더에 들어 있는 $\dfrac{\text{생성된 분자의 양(몰)}}{\text{반응하지 않고 남은 분자의 양(몰)}}=2$이다.

① ㄱ ② ㄴ ③ ㄱ, ㄷ
④ ㄴ, ㄷ ⑤ ㄱ, ㄴ, ㄷ

[21916-0029] ○ △ ×

**9** 다음은 $X(g)$와 $Y(g)$가 반응하여 $Z(g)$를 생성하는 반응의 화학 반응식이다.

$$X(g)+Y(g) \longrightarrow 2Z(g)$$

표는 $X(g)$와 $Y(g)$의 질량을 다르게 하여 반응시킬 때 반응 전 질량과 반응 후 전체 부피를 나타낸 것이다.

| 실험 | 반응 전 질량(g) | | 반응 후 전체 부피(L) |
|---|---|---|---|
| | $X(g)$ | $Y(g)$ | |
| Ⅰ | 0.1 | 0.3 | $V$ |
| Ⅱ | 0.3 | 0.4 | $2V$ |
| Ⅲ | 0.5 | 0.5 | |

이에 대한 설명으로 옳은 것만을 <보기>에서 있는 대로 고른 것은? (단, 온도와 압력은 일정하다.) [3점]

<보기>

ㄱ. 실험 Ⅱ에서 남은 기체는 $X(g)$이다.

ㄴ. 실험 Ⅲ에서 반응 후 전체 부피는 $3V$ L이다.

ㄷ. 실험 Ⅰ과 Ⅱ에서 반응하지 않고 남은 기체의 질량 합은 0.2 g이다.

① ㄱ ② ㄷ ③ ㄱ, ㄴ ④ ㄴ, ㄷ ⑤ ㄱ, ㄴ, ㄷ

[21916-0030] ○ △ ×

**10** 다음은 중화 반응 실험이다.

[실험 과정]

(가) 단위 부피당 전체 이온 수가 서로 다른 2가지 $NaOH(aq)$ A와 B, $HCl(aq)$을 준비한다.

(나) A 15 mL에 $HCl(aq)$ 10 mL를 천천히 넣어 준다.

(다) (나)의 혼합 용액에 B 25 mL를 천천히 넣어 준다.

[실험 결과]

○ (나)와 (다)에서 첨가한 용액의 부피에 따른 단위 부피당 $OH^-$ 수

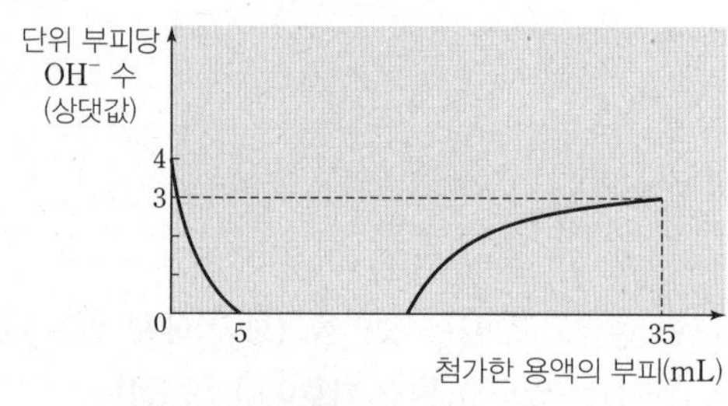


$\dfrac{\text{B에서 단위 부피당 전체 이온 수}}{\text{A에서 단위 부피당 전체 이온 수}}$는? (단, 혼합 용액의 부피는 혼합 전 각 용액의 부피의 합과 같다.) [3점]

① $\dfrac{2}{3}$ ② $\dfrac{15}{14}$ ③ $\dfrac{3}{2}$ ④ $\dfrac{21}{10}$ ⑤ $\dfrac{21}{5}$

# 04회 미니모의고사

제한 시간 15분 / 배점 25점



○ 알고 맞힘 /10 △ 헷갈림 /10 ✕ 모르고 틀림 /10

[21916-0031] ○ △ ✕

**1** 그림은 물에 소량의 황산 나트륨을 넣고 전원 장치를 연결하였을 때, 두 전극에서 기체가 발생하는 모습을 나타낸 것이다.

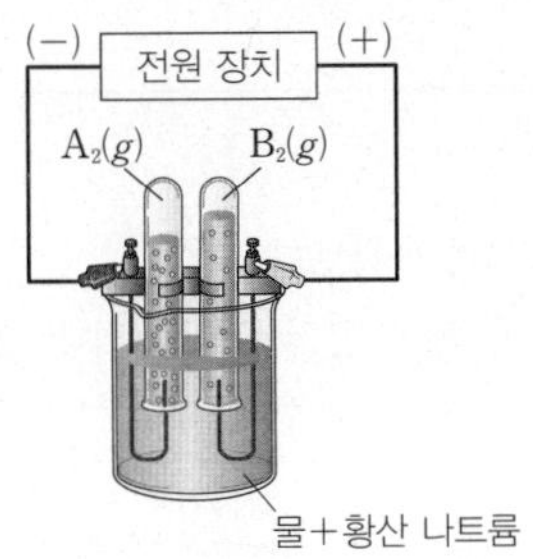


**이에 대한 설명으로 옳은 것만을 <보기>에서 있는 대로 고른 것은? (단, H, O의 원자량은 각각 1, 16이다.)**

<보기>

ㄱ. 공유 전자쌍 수는 $B_2$가 $A_2$보다 크다.

ㄴ. 발생하는 기체의 질량은 $A_2$가 $B_2$보다 크다.

ㄷ. 물 분자에서 A는 네온(Ne)과 같은 전자 배치를 갖는다.

① ㄱ ② ㄴ ③ ㄱ, ㄷ
④ ㄴ, ㄷ ⑤ ㄱ, ㄴ, ㄷ

[21916-0032] ○ △ ✕

**2** 다음은 설탕물의 몰 농도를 알아내기 위한 실험이다.

[실험 과정]

(가) 1 L 삼각 플라스크의 질량($w_1$)을 측정한다.

(나) (가)의 삼각 플라스크에 설탕물 500 mL를 넣는다.

(다) 물을 모두 증발시킨 후 삼각 플라스크의 질량($w_2$)을 측정한다.

[실험 결과]

$w_1$: 505.0 g

$w_2$: 522.1 g

**설탕물의 몰 농도(M)는? (단, 설탕의 분자량은 342이다.)**

① 0.05 ② 0.1 ③ 0.25
④ 0.5 ⑤ 1

[21916-0033] O △ X

**3** 표는 1, 2주기 원소 W~Z로 이루어진 분자 (가)~(다)의 구조식과 분자 내에 존재하는 비공유 전자쌍 수에 대한 자료의 일부이다. 분자 내에서 W~Y는 옥텟 규칙을 만족한다.

| 분자 | (가) | (나) | (다) |
|---|---|---|---|
| 구조식 | X=W=X | Y−X−Y | Z−X−Z |
| 비공유 전자쌍 수 | | | 2 |

(가)~(다)에 대한 설명으로 옳은 것만을 <보기>에서 있는 대로 고른 것은? (단, W~Z는 임의의 원소 기호이다.)

〈 보기 〉
ㄱ. 모두 직선형 구조이다.
ㄴ. X의 산화수는 모두 −2이다.
ㄷ. 결합각은 (가)가 (나)보다 크다.

① ㄱ ② ㄷ ③ ㄱ, ㄴ
④ ㄴ, ㄷ ⑤ ㄱ, ㄴ, ㄷ

[21916-0034] O △ X

**4** 그림은 원소 A~D의 제1 이온화 에너지와 이온 반지름을 나타낸 것이다. A~D는 각각 O, F, Na, Mg 중 하나이고, 원자 번호는 A가 C보다 크며 (가), (나)는 각각 제1 이온화 에너지와 이온 반지름 중 하나이다.

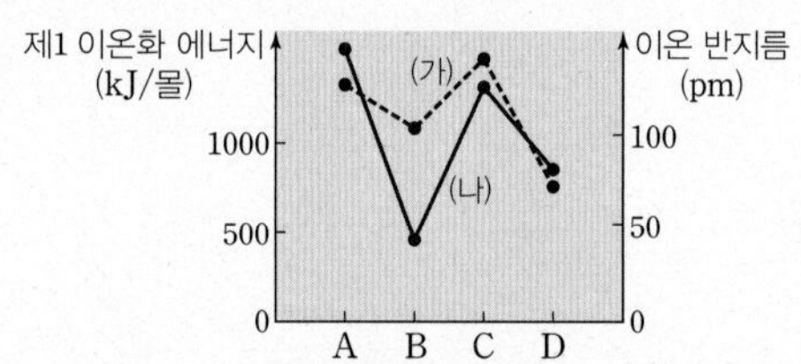


이에 대한 설명으로 옳은 것만을 <보기>에서 있는 대로 고른 것은? (단, A~D 이온은 모두 18족 원소의 전자 배치를 갖는다.)

〈 보기 〉
ㄱ. (가)는 제1 이온화 에너지이다.
ㄴ. A~D 중에서 A의 전기 음성도가 가장 크다.
ㄷ. 원자가 전자가 느끼는 유효 핵전하는 D가 B보다 크다.

① ㄱ ② ㄴ ③ ㄷ
④ ㄴ, ㄷ ⑤ ㄱ, ㄴ, ㄷ

[21916-0035] O △ X

**5** 표는 바닥상태 2주기 원자 (가)~(다)에 대한 자료이다.

| 원자 | $s$ 오비탈의 전자 수 | $p$ 오비탈의 전자 수 | 홀전자 수 |
|---|---|---|---|
| (가) | $w$ | 6 | $x$ |
| (나) | 4 | 3 | $y$ |
| (다) | 3 | $z$ | 1 |

(가)~(다)에 대한 설명으로 옳은 것만을 <보기>에서 있는 대로 고른 것은?

〈 보기 〉
ㄱ. $x=z$이다.
ㄴ. 양성자수는 (가)가 (나)보다 크다.
ㄷ. (다)에서 전자가 들어 있는 오비탈 수는 2이다.

① ㄱ ② ㄷ ③ ㄱ, ㄴ
④ ㄴ, ㄷ ⑤ ㄱ, ㄴ, ㄷ

[21916-0036] O △ X

**6** 다음은 철을 제련하는 반응의 화학 반응식과 반응의 양적 관계에 대한 설명이다.

[화학 반응식]
$Fe_2O_3 + aCO \longrightarrow bFe + cCO_2$ ($a$~$c$는 반응 계수)
[양적 관계]
○ 생성물의 전체 양(몰)이 2.5몰 생성되는 동안 철 이온의 환원에 필요한 전자의 양(몰)은 ( $d$ )몰이고, 반응한 CO의 양(몰)은 ( $e$ )몰이다.

$a+d+e$는? [3점]

① 6.5 ② 7.0 ③ 7.5
④ 8.0 ⑤ 8.5

[21916-0037] O △ X

**7** 그림은 원자 A~C에 대한 자료이다. $Z^*$는 원자가 전자가 느끼는 유효 핵전하이며, A~C는 각각 Be, Mg, Cl 중 하나이다.

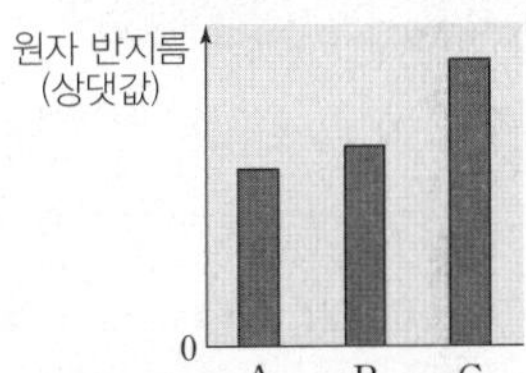


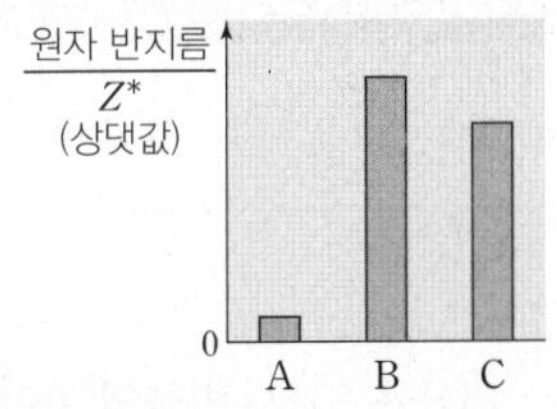


A~C에 대한 설명으로 옳은 것만을 〈보기〉에서 있는 대로 고른 것은? (단, 이온은 안정한 상태이고 18족 원소의 전자 배치를 갖는다.) [3점]

〈보기〉

ㄱ. B와 C는 같은 족 원소이다.
ㄴ. 전기 음성도는 C가 A보다 크다.
ㄷ. 이온 반지름은 B 이온이 A 이온보다 크다.

① ㄱ ② ㄴ ③ ㄱ, ㄷ
④ ㄴ, ㄷ ⑤ ㄱ, ㄴ, ㄷ

[21916-0038] 

**8** 그림은 3가지 원자 A~C의 1몰의 질량과 1 g에 들어 있는 원자 수를 나타낸 것이다.

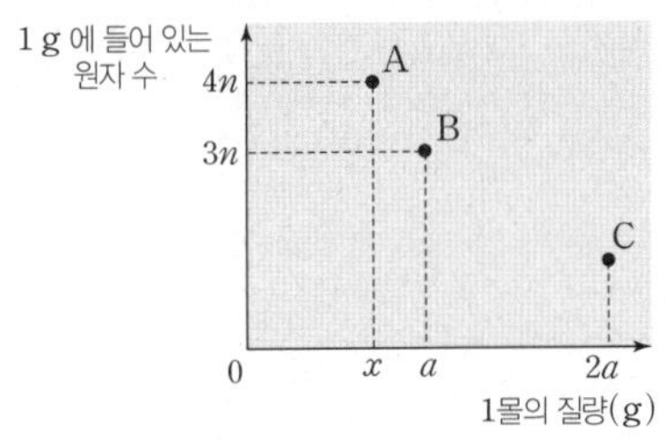


이에 대한 설명으로 옳은 것만을 〈보기〉에서 있는 대로 고른 것은? (단, A~C는 임의의 원소 기호이고, 아보가드로수는 $N_A$이다.) [3점]

〈보기〉

ㄱ. A 원자 1개의 질량은 $\frac{3a}{4N_A}$ g이다.
ㄴ. $BA_2$의 화학식량은 $\frac{5}{2}a$이다.
ㄷ. $CB_2$ $a$ g에 들어 있는 B의 원자 수는 $N_A$이다.

① ㄱ ② ㄷ ③ ㄱ, ㄴ
④ ㄴ, ㄷ ⑤ ㄱ, ㄴ, ㄷ

[21916-0039] O △ X

**9** 표는 HCl($aq$) 20 mL에 NaOH($aq$)을 가할 때 NaOH($aq$)의 부피에 따른 $\frac{\text{생성된 물 분자 수}}{\text{반응하지 않은 H}^+ \text{ 또는 OH}^- \text{ 수}}$를 나타낸 것이다.

| NaOH($aq$)의 부피(mL) | 20 | 40 | 50 | 60 |
|---|---|---|---|---|
| $\frac{\text{생성된 물 분자 수}}{\text{반응하지 않은 H}^+ \text{ 또는 OH}^-}$ | 2 | 3 | $x$ | $y$ |

$x \times y$는? [3점]

① 1 ② 1.5 ③ 2
④ 2.5 ⑤ 3

[21916-0040] O △ X

**10** 다음은 A($g$)와 B($g$)가 반응하여 C($g$)와 D($g$)가 생성되는 반응의 화학 반응식이다.

$$\text{A}(g) + b\text{B}(g) \longrightarrow c\text{C}(g) + 2\text{D}(g) \quad (b, c\text{는 반응 계수})$$

표는 실린더에 A($g$) $x$몰을 넣고, B($g$)의 양(몰)을 달리하여 반응을 완결시켰을 때, 반응 전후 기체에 대한 자료이다. 분자량은 B>A이다.

| 실험 | 반응 전 | | | 반응 후 |
|---|---|---|---|---|
| | A의 양(몰) | B의 양(몰) | 전체 부피(L) | 전체 부피(L) |
| (가) | $x$ | 2 | $V$ | $\frac{5}{4}V$ |
| (나) | $x$ | 6 | $2V$ | $\frac{5}{2}V$ |

이에 대한 설명으로 옳은 것만을 〈보기〉에서 있는 대로 고른 것은? (단, 반응 전과 후 온도와 압력은 일정하며, 피스톤의 마찰은 무시한다.) [3점]

〈보기〉

ㄱ. $x=2$이다.
ㄴ. $c>b$이다.
ㄷ. 반응 후 전체 기체의 밀도는 (나)에서가 (가)에서보다 크다.

① ㄱ ② ㄷ ③ ㄱ, ㄴ
④ ㄱ, ㄷ ⑤ ㄴ, ㄷ

# 05회 미니모의고사

제한 시간 15분 / 배점 25점



○ 알고 맞힘 /10 △ 헷갈림 /10 × 모르고 틀림 /10

[21916-0041] ○ △ ×

**1 다음은 산 염기와 관련된 3가지 반응의 화학 반응식이다.**

(가) $H_2 + Cl_2 \longrightarrow 2HCl$
(나) $HCl + H_2O \longrightarrow H_3O^+ + Cl^-$
(다) $2Na + 2H_2O \longrightarrow 2Na^+ + 2OH^- + H_2$

**이에 대한 설명으로 옳은 것만을 〈보기〉에서 있는 대로 고른 것은?**

〈 보기 〉
ㄱ. (가)는 산화 환원 반응이다.
ㄴ. (나)에서 HCl는 브뢴스테드-로리 산이다.
ㄷ. (다)에서 Na은 아레니우스 염기이다.

① ㄱ ② ㄷ ③ ㄱ, ㄴ
④ ㄴ, ㄷ ⑤ ㄱ, ㄴ, ㄷ

[21916-0042] ○ △ ×

**2 다음은 2가지 반응의 화학 반응식 (가)와 (나)이다.**

(가) $Cu_2S + O_2 \longrightarrow 2Cu +$ [ ㉠ ]
(나) [ ㉠ ] $+ aH_2S \longrightarrow bH_2O + cS$ ($a$~$c$는 반응 계수)

**이에 대한 설명으로 옳은 것만을 〈보기〉에서 있는 대로 고른 것은?**

〈 보기 〉
ㄱ. (가)에서 Cu의 산화수는 감소한다.
ㄴ. (나)에서 ㉠은 환원제이다.
ㄷ. $a+b+c=7$이다.

① ㄱ ② ㄷ ③ ㄱ, ㄴ
④ ㄱ, ㄷ ⑤ ㄴ, ㄷ

[21916-0043] O △ X

**3** 다음은 물질 X의 용해에 관한 실험이다. X는 NaCl, $I_2$ 중 하나이다.

[실험 과정]
(가) 시험관 A에는 물($H_2O$) 10 mL를, B에는 사이클로헥세인($C_6H_{12}$) 10 mL를 넣는다.
(나) (가)의 A, B에 각각 X 0.1 g씩을 넣고 잘 흔든 후 용해되는 정도를 관찰한다.

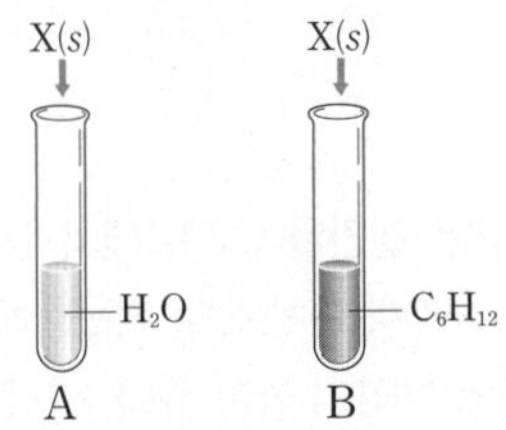


[실험 결과]

| 시험관 | A | B |
|---|---|---|
| 결과 | 거의 녹지 않음 | 잘 녹음 |

**X에 대한 설명으로 옳은 것만을 〈보기〉에서 있는 대로 고른 것은?**

〈보기〉
ㄱ. 쌍극자 모멘트는 $H_2O$보다 크다.
ㄴ. 무극성 공유 결합이 있다.
ㄷ. 액체 상태에서 전기 전도성이 있다.

① ㄱ ② ㄴ ③ ㄱ, ㄷ
④ ㄴ, ㄷ ⑤ ㄱ, ㄴ, ㄷ

[21916-0044] O △ X

**4** 표는 원자 또는 이온의 전자 배치 (가)~(다)에 대한 자료이다. (가)~(다) 중 바닥상태 전자 배치는 2가지이다.

| 전자 배치 | 원자 또는 이온 | 오비탈에 들어 있는 전자 수 | | |
|---|---|---|---|---|
| | | 1s | 2s | 2p |
| (가) | X | 1 | 2 | 5 |
| (나) | X | 2 | $a$ | $b$ |
| (다) | $X^{2+}$ | 2 | 2 | 2 |

**이에 대한 설명으로 옳은 것만을 〈보기〉에서 있는 대로 고른 것은? (단, X는 임의의 원소 기호이고, 표에 제시된 오비탈 이외에는 전자가 들어 있지 않다.)**

〈보기〉
ㄱ. $b=2a$이다.
ㄴ. 홀전자 수는 (나)와 (다)가 같다.
ㄷ. 전자가 들어 있는 오비탈 수는 (가)가 (다)보다 2 크다.

① ㄱ ② ㄷ ③ ㄱ, ㄴ
④ ㄴ, ㄷ ⑤ ㄱ, ㄴ, ㄷ

[21916-0045] O △ X

**5** 표는 4가지 분자 HCN, $CH_2O$, $OF_2$, $CF_4$를 3가지 기준에 따라 각각 분류한 결과를 나타낸 것이다.

| 분류 기준 | 예 | 아니요 |
|---|---|---|
| (가) | HCN, $CH_2O$ | $OF_2$, $CF_4$ |
| 극성 분자인가? | ㉠ | ㉡ |
| 공유 전자쌍 수가 4인가? | ㉢ | ㉣ |

**이에 대한 설명으로 옳은 것만을 〈보기〉에서 있는 대로 고른 것은?**

〈보기〉
ㄱ. (가)에는 '다중 결합이 있는가?'를 적용할 수 있다.
ㄴ. ㉠과 ㉢에 공통으로 해당되는 분자는 1가지이다.
ㄷ. ㉣에 해당되는 분자의 구조는 굽은 형이다.

① ㄱ ② ㄴ ③ ㄱ, ㄷ
④ ㄴ, ㄷ ⑤ ㄱ, ㄴ, ㄷ

[21916-0046] O △ X

**6** 다음은 탄산 칼슘($CaCO_3$)을 묽은 염산에 넣었을 때 일어나는 반응의 화학 반응식이다. $CaCO_3$ $w$ g을 충분한 양의 묽은 염산에 넣어 모두 반응시켰더니 $CO_2$ 0.88 g이 생성되었다.

$$CaCO_3(s)+aHCl(aq) \longrightarrow CaCl_2(aq)+bH_2O(l)+cCO_2(g)$$
($a$~$c$는 반응 계수)

**이에 대한 설명으로 옳은 것만을 〈보기〉에서 있는 대로 고른 것은? (단, C, O의 원자량은 각각 12, 16이다.) [3점]**

〈보기〉
ㄱ. $a=b+c$이다.
ㄴ. 생성된 $CO_2$는 0.02몰이다.
ㄷ. Ca의 원자량은 $(50w-60)$이다.

① ㄱ ② ㄷ ③ ㄱ, ㄴ
④ ㄴ, ㄷ ⑤ ㄱ, ㄴ, ㄷ

[21916-0047] O △ X

**7** 다음은 시판되는 진한 염산을 희석하여 0.1 M의 염산을 만들기 위해 조사한 자료이다.

○ 진한 염산의 밀도: $d$ g/mL
○ 진한 염산의 퍼센트 농도: $a$%
○ HCl의 분자량: 36.5

**진한 염산의 몰 농도(M)와 0.1 M 염산 100 mL를 만들기 위해 필요한 진한 염산의 부피(mL)로 옳은 것은? [3점]**

| | 몰 농도 | 부피 |
|---|---|---|
| ① | $\frac{ad}{36.5}$ | $\frac{36.5}{ad}$ |
| ② | $\frac{2ad}{36.5}$ | $\frac{36.5}{ad}$ |
| ③ | $\frac{2ad}{36.5}$ | $\frac{73}{ad}$ |
| ④ | $\frac{10ad}{36.5}$ | $\frac{36.5}{ad}$ |
| ⑤ | $\frac{10ad}{36.5}$ | $\frac{73}{ad}$ |

[21916-0048] 

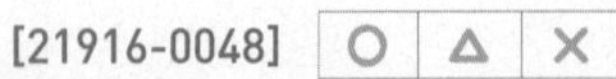

**8** 그림은 원자 X~Z와 $_{12}$Mg의 원자 반지름과 이온 반지름을 나타낸 것이고, (가)와 (나)는 각각 원자 반지름과 이온 반지름 중 하나이다. X~Z의 원자 번호는 각각 8, 9, 11 중 하나이고, X~Z의 이온은 모두 Ne의 전자 배치를 가진다.

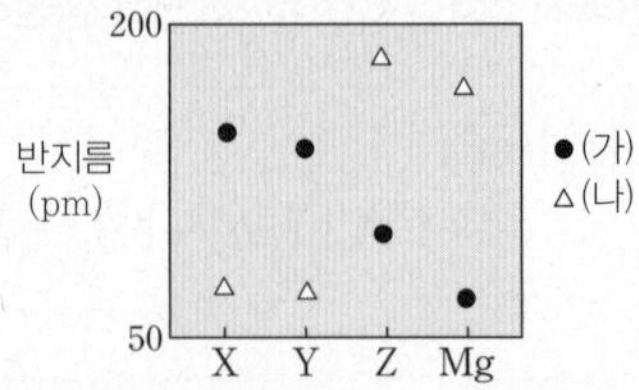


**이에 대한 설명으로 옳은 것만을 〈보기〉에서 있는 대로 고른 것은? (단, X~Z는 임의의 원소 기호이다.) [3점]**

〈 보기 〉
ㄱ. (가)는 이온 반지름이다.
ㄴ. X의 이온은 $X^-$이다.
ㄷ. X~Z 중 제1 이온화 에너지는 Z가 가장 작다.

① ㄱ ② ㄴ ③ ㄱ, ㄷ
④ ㄴ, ㄷ ⑤ ㄱ, ㄴ, ㄷ

[21916-0049] O △ X

**9** 그림은 산 HA($aq$) 10 mL에 NaOH($aq$) 20 mL와 산 HB($aq$) 20 mL를 차례대로 넣었을 때 용액 (가)~(다)에 존재하는 음이온을 모형으로 나타낸 것이다. (나)에 존재하는 음이온의 몰 비는 1 : 2이고, (가)와 (나)에 각각 존재하는 양이온의 몰 비는 (가) : (나)=1 : 3이다.

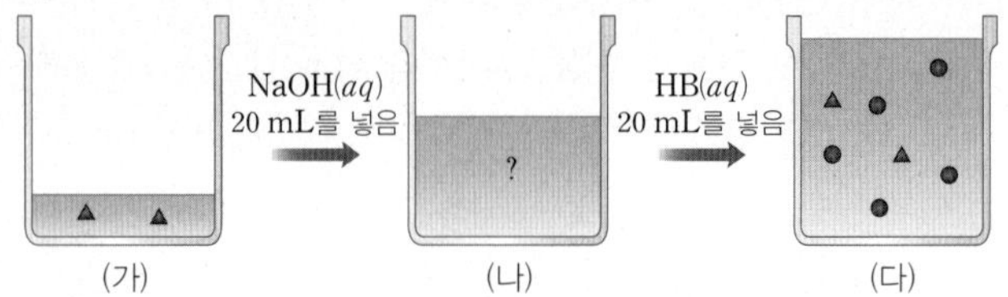


**이에 대한 설명으로 옳은 것만을 〈보기〉에서 있는 대로 고른 것은? (단, HA와 HB는 수용액에서 완전히 이온화하고, 혼합 용액의 부피는 혼합 전 각 용액의 부피의 합과 같다.) [3점]**

〈 보기 〉
ㄱ. 단위 부피당 총 이온 수 비는 HA($aq$) : HB($aq$)= 2 : 5이다.
ㄴ. 단위 부피당 양이온 수는 (가)와 (나)가 같다.
ㄷ. (다)에 NaOH($aq$) 5 mL를 혼합한 용액은 중성이다.

① ㄱ ② ㄴ ③ ㄱ, ㄷ
④ ㄴ, ㄷ ⑤ ㄱ, ㄴ, ㄷ

[21916-0050] O △ X

**10** 다음은 A와 B가 반응하여 C를 생성하는 반응의 화학 반응식이다.

$$2A(g)+B(g) \longrightarrow cC(g) \quad (c\text{는 반응 계수})$$

**표는 일정한 온도와 압력에서 A($g$)와 B($g$)가 반응할 때의 양적 관계를 나타낸 자료이다.**

| 실험 | 혼합 전 부피(L) | | 반응 후 양(몰) | | 반응 후 전체 기체 부피(L) |
|---|---|---|---|---|---|
| | A | B | A | B | |
| Ⅰ | 10 | | 0 | 0.2 | 15 |
| Ⅱ | | 5.0 | $x$ | 0 | 16 |

**$x$는? (단, 기체 1몰의 부피는 25 L이다.) [3점]**

① $\frac{1}{5}$ ② $\frac{6}{25}$ ③ $\frac{11}{12}$
④ $\frac{24}{25}$ ⑤ 5

# 06회 미니모의고사

제한 시간 15분 / 배점 25점



○ 알고 맞힘 /10 △ 헷갈림 /10 ✕ 모르고 틀림 /10

[21916-0051] ○ △ ✕

**1** 그림은 화합물 $A_2B$와 CD의 화학 결합 모형을 나타낸 것이다.

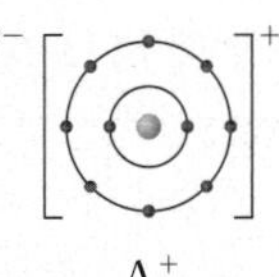

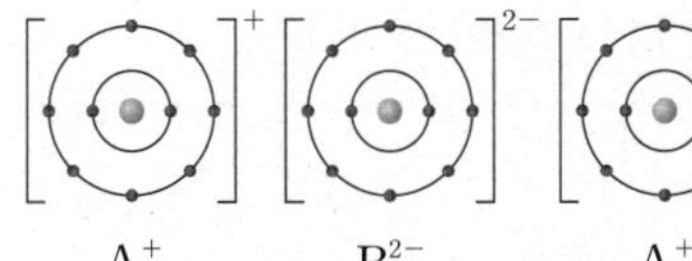


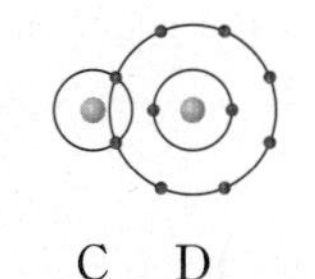


이에 대한 설명으로 옳은 것만을 〈보기〉에서 있는 대로 고른 것은? (단, A~D는 임의의 원소 기호이다.)

〈 보기 〉

ㄱ. AD는 공유 결합 물질이다.
ㄴ. $C_2B$ 분자에서 비공유 전자쌍 수는 2이다.
ㄷ. $BD_2$ 분자에서 B의 산화수는 $-2$이다.

① ㄱ ② ㄴ ③ ㄷ
④ ㄱ, ㄴ ⑤ ㄴ, ㄷ

[21916-0052] ○ △ ✕

**2** 표는 원소 X의 동위 원소 (가)와 (나)에 대한 자료이다. X의 평균 원자량은 35.5이고, $x+y=100$이다.

| X의 동위 원소 | (가) | (나) |
|---|---|---|
| 원자량 | 35.0 | 37.0 |
| 존재 비율(%) | $x$ | $y$ |

이에 대한 설명으로 옳은 것만을 〈보기〉에서 있는 대로 고른 것은? (단, X는 임의의 원소 기호이다.)

〈 보기 〉

ㄱ. 양성자수는 (가)가 (나)보다 작다.
ㄴ. 질량수는 (가)가 (나)보다 작다.
ㄷ. $\frac{x}{y}=3$이다.

① ㄱ ② ㄴ ③ ㄱ, ㄷ
④ ㄴ, ㄷ ⑤ ㄱ, ㄴ, ㄷ

[21916-0053] ○ △ ×

**3** 표는 바닥상태 원자 A~C에 대한 자료이다.

| 원자 | A | B | C |
|---|---|---|---|
| 홀전자가 들어 있는 오비탈 | *s* | *p* | *p* |
| 전자가 들어 있는 오비탈 총수 | 1 | 4 | 7 |

이에 대한 설명으로 옳지 않은 것은? (단, A~C는 임의의 원소 기호이다.)

① A의 원자 번호는 1이다.
② B의 홀전자 수는 2이다.
③ C의 원자가 전자 수는 1이다.
④ A와 B로 이루어진 화합물은 공유 결합 물질이다.
⑤ A와 C가 결합하여 형성된 물질의 화학식은 $CA_3$이다.

[21916-0054] ○ △ ×

**4** 다음은 분자 (가)~(라)에 대한 자료이다. (가)~(라)는 각각 $NH_3$, $H_2O$, HCN, $BF_3$ 중 하나이다.

- 분자의 쌍극자 모멘트는 (가)가 가장 작다.
- 결합각은 (나)가 가장 크다.
- 중심 원자의 비공유 전자쌍 수는 (다)가 가장 크다.

(가)~(라)에 대한 설명으로 옳은 것만을 <보기>에서 있는 대로 고른 것은?

<보기>
ㄱ. (가)와 (나)는 중심 원자에 비공유 전자쌍이 없다.
ㄴ. 구성 원자 수는 (가)가 (라)보다 크다.
ㄷ. 결합각은 (다)가 (라)보다 크다.

① ㄱ ② ㄴ ③ ㄷ
④ ㄱ, ㄴ ⑤ ㄱ, ㄷ

[21916-0055] ○ △ ×

**5** 다음은 구리(Cu)와 관련된 반응의 화학 반응식이다.

$$3Cu + aHNO_3 \longrightarrow 3Cu(NO_3)_2 + bNO + cH_2O$$
($a$~$c$는 반응 계수)

이에 대한 설명으로 옳은 것만을 <보기>에서 있는 대로 고른 것은?

<보기>
ㄱ. Cu의 산화수는 2 증가한다.
ㄴ. 반응 전과 후 O의 산화수는 변하지 않는다.
ㄷ. Cu 3몰이 반응할 때 $H_2O$ 2몰이 생성된다.

① ㄱ ② ㄷ ③ ㄱ, ㄴ
④ ㄴ, ㄷ ⑤ ㄱ, ㄴ, ㄷ

[21916-0056] ○ △ ×

**6** 그림은 원자 번호가 5~8인 원자 W~Z의 제1 이온화 에너지와 제2 이온화 에너지를 크기 순으로 나타낸 것이다. W~Z는 임의의 원소 기호이며, 원자 번호 순서가 아니다.

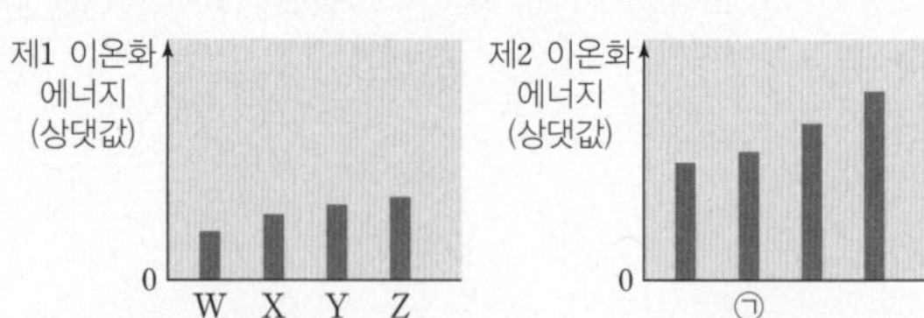


이에 대한 설명으로 옳은 것만을 <보기>에서 있는 대로 고른 것은? [3점]

<보기>
ㄱ. ㉠은 W이다.
ㄴ. 원자 반지름은 W가 X보다 크다.
ㄷ. 전기 음성도는 Y가 Z보다 크다.

① ㄱ ② ㄴ ③ ㄱ, ㄷ
④ ㄴ, ㄷ ⑤ ㄱ, ㄴ, ㄷ

[21916-0057] ○ △ ×

**7** 다음은 에타인($C_2H_2$)을 연소시킨 후 생성물을 확인하는 과정과 관련된 2가지 반응의 화학 반응식이다.

(가) $2C_2H_2(g)+5O_2(g) \longrightarrow 4X(g)+2H_2O(l)$
(나) $X(g)+Ca(OH)_2(aq) \longrightarrow CaCO_3(s)+H_2O(l)$

$C_2H_2$ 0.1몰을 반응시켜 생성된 기체 X가 석회수($Ca(OH)_2(aq)$)에 모두 반응하였을 때, 이에 대한 설명으로 옳은 것만을 <보기>에서 있는 대로 고른 것은? (단, C, O, Ca의 원자량은 각각 12, 16, 40이다.) [3점]

〈 보기 〉
ㄱ. X는 $CO_2$이다.
ㄴ. (나)에서 생성된 $CaCO_3$의 질량은 10 g이다.
ㄷ. (가)와 (나)에서 생성된 $H_2O$의 총 양(몰)은 0.3몰이다.

① ㄱ ② ㄴ ③ ㄱ, ㄷ
④ ㄴ, ㄷ ⑤ ㄱ, ㄴ, ㄷ

[21916-0058] 

**8** 그림은 25℃에서 부피가 같은 두 용기 (가)와 (나)에 들어 있는 기체 $AB_2$와 $A_2C_4$의 질량을 나타낸 것이다. 용기 속 기체의 압력은 (가)와 (나)가 같다.

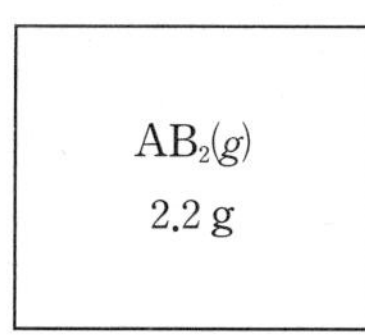

(가)

$A_2C_4(g)$
5.0 g
(나)

$\dfrac{A_2C_4\ 1\ g\text{에 포함된 A 원자 수}}{AB_2\ 1\ g\text{에 포함된 A 원자 수}}$는? (단, A~C는 임의의 원소 기호이다.) [3점]

① $\frac{11}{5}$ ② $\frac{22}{5}$ ③ $\frac{11}{10}$
④ $\frac{11}{25}$ ⑤ $\frac{22}{25}$

[21916-0059] ○ △ ×

**9** 표는 $HCl(aq)$ 10 mL가 들어 있는 용액 (가), (가)에 $NaOH(aq)$ 5 mL를 넣은 혼합 용액 (나), 그리고 (나)에 $KOH(aq)$ 15 mL를 넣은 혼합 용액 (다)에 대한 자료이다.

| 수용액 | (가) | (나) | (다) |
|---|---|---|---|
| $\dfrac{H^+ \text{ 또는 } OH^- \text{ 수}}{\text{전체 이온 수}}$ | $\frac{1}{2}$ | $\frac{1}{6}$ | $\frac{1}{14}$ |
| 생성된 물 분자 수 | | $4N$ | $2N$ |

이에 대한 설명으로 옳은 것만을 <보기>에서 있는 대로 고른 것은? [3점]

〈 보기 〉
ㄱ. (나)와 (다)는 염기성이다.
ㄴ. (다)에 가장 많이 존재하는 이온은 $Cl^-$이다.
ㄷ. 단위 부피당 이온 수 비는 $NaOH(aq)$ : $KOH(aq)$ = 4 : 3이다.

① ㄴ ② ㄷ ③ ㄱ, ㄴ
④ ㄱ, ㄷ ⑤ ㄴ, ㄷ

[21916-0060] ○ △ ×

**10** 다음은 $A(g)$와 $B(g)$가 반응하여 $C(g)$가 생성되는 반응의 화학 반응식이다.

$$A(g)+bB(g) \longrightarrow 2C(g) \ (b\text{는 반응 계수})$$

표는 $t$℃, 1기압에서 반응물의 질량 비를 달리하여 반응을 완결시켰을 때 반응 전과 후 기체에 대한 자료이다.

| 실험 | 반응 전 | | 반응 후 | |
|---|---|---|---|---|
| | A의 질량(g) | B의 질량(g) | 남은 기체의 질량(g) | 전체 기체의 부피(L) |
| (가) | 12 | 14 | 4 | 15 |
| (나) | 8 | 21 | 7 | 18 |
| (다) | $x$ | 28 | $y$ | 27 |

$\dfrac{\text{B의 분자량}}{x}$은? (단, 반응 전과 후 온도와 압력은 일정하며, $t$℃, 1기압에서 기체 1몰의 부피는 24 L이다.) [3점]

① $\frac{7}{5}$ ② $\frac{8}{5}$ ③ $\frac{7}{3}$
④ $\frac{11}{5}$ ⑤ $\frac{11}{3}$

# 07회 미니모의고사

제한 시간 15분 / 배점 25점

EBS 수능특강Q 미니모의고사 화학 I

○ 알고 맞힘 /10 △ 헷갈림 /10 ✕ 모르고 틀림 /10

[21916-0061] 

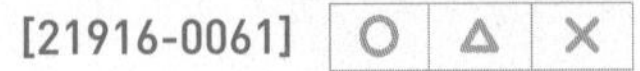

**1** 그림은 물에 소량의 황산 나트륨을 녹인 수용액에서 물이 전기 분해되는 모습을 나타낸 것이다.

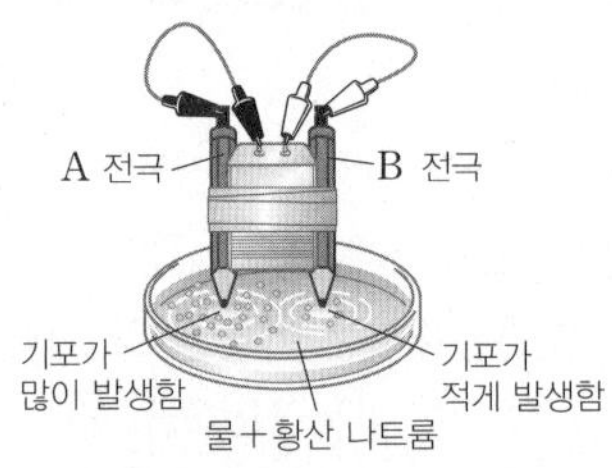


이에 대한 설명으로 옳은 것만을 〈보기〉에서 있는 대로 고른 것은? (단, 전극은 반응에 참여하지 않는다.)

〈 보기 〉

ㄱ. A 전극에서 환원 반응이 일어난다.

ㄴ. B 전극에서 발생하는 기체는 극성 공유 결합을 갖는 물질이다.

ㄷ. 이 결과로부터 물 분자를 구성하는 원자 사이의 결합에는 전자가 관여하고 있다는 것을 알 수 있다.

① ㄱ ② ㄴ ③ ㄱ, ㄷ ④ ㄴ, ㄷ ⑤ ㄱ, ㄴ, ㄷ

[21916-0062] ○ △ ✕

**2** 그림은 철수가 라면을 먹기 위해 가스레인지를 켜서 물을 가열하는 것을 나타낸 것이고, 자료는 이와 관련된 2가지 반응의 화학 반응식이다.

(가) $CH_4(g)+2O_2(g) \longrightarrow CO_2(g)+2H_2O(g)$

(나) $H_2O(l) \longrightarrow H_2O(g)$

(가)와 (나)에 대한 설명으로 옳은 것만을 〈보기〉에서 있는 대로 고른 것은?

〈 보기 〉

ㄱ. (가)는 발열 반응이다.

ㄴ. (나)는 흡열 반응이다.

ㄷ. (가) 반응이 일어나지 않으면 (나) 반응은 일어날 수 없다.

① ㄱ ② ㄷ ③ ㄱ, ㄴ ④ ㄴ, ㄷ ⑤ ㄱ, ㄴ, ㄷ

[21916-0063] 

**3** 다음은 Al과 관련된 반응의 화학 반응식이다.

$$2Al + aAg_2S + bH_2O \longrightarrow 2Al(OH)_3 + cAg + dH_2S$$

($a$~$d$는 반응 계수)

이 반응에 대한 설명으로 옳은 것만을 〈보기〉에서 있는 대로 고른 것은?

〈 보기 〉

ㄱ. O와 S의 산화수는 변하지 않는다.

ㄴ. Al은 산화제이다.

ㄷ. $(a+b)<(c+d)$이다.

① ㄱ ② ㄴ ③ ㄷ
④ ㄱ, ㄴ ⑤ ㄱ, ㄷ

[21916-0064]

**4** 다음은 탄산 칼슘($CaCO_3$)과 탄산수소 나트륨($NaHCO_3$)의 분해 반응의 화학 반응식이다.

(가) $CaCO_3(s) \longrightarrow CaO(s) + X(g)$

(나) $aNaHCO_3(s) \longrightarrow bNa_2CO_3(s) + cH_2O(l) + X(g)$

($a$~$c$는 반응 계수)

이에 대한 설명으로 옳은 것만을 〈보기〉에서 있는 대로 고른 것은?

〈 보기 〉

ㄱ. X는 $CO_2$이다.

ㄴ. $a=b+c$이다.

ㄷ. X 1몰을 생성시키기 위해 필요한 반응물의 최소 양(몰)은 (가)에서가 (나)에서보다 크다.

① ㄱ ② ㄷ ③ ㄱ, ㄴ
④ ㄴ, ㄷ ⑤ ㄱ, ㄴ, ㄷ

[21916-0065]

**5** 그림은 서로 다른 농도의 포도당 수용액 (가)와 (나)를 나타낸 것이다. 모든 수용액의 밀도는 1 g/mL이다.

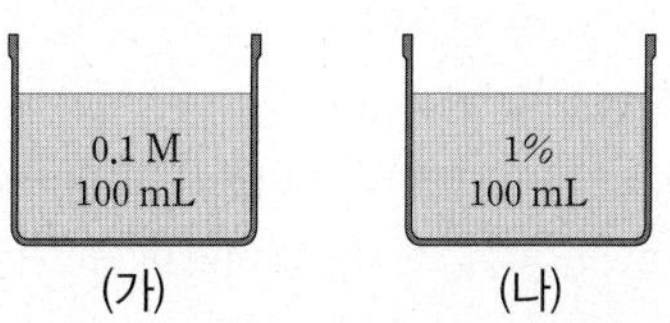


(가)와 (나)의 농도를 같게 만드는 방법으로 옳은 것만을 〈보기〉에서 있는 대로 고른 것은? (단, 포도당의 분자량은 180이고 비휘발성이다.)

〈 보기 〉

ㄱ. (가)에 물 80 g을 추가한다.

ㄴ. (나)에 포도당 0.8 g을 추가한다.

ㄷ. (나)에서 물 40 g을 증발시킨다.

① ㄱ ② ㄴ ③ ㄱ, ㄷ
④ ㄴ, ㄷ ⑤ ㄱ, ㄴ, ㄷ

[21916-0066] 

**6** 그림은 2주기 원소 X~Z와 산소(O)에 대하여 전기 음성도와 원자 반지름 및 제1 이온화 에너지를 나타낸 것이다. (가), (나)는 각각 원자 반지름과 제1 이온화 에너지 중 하나이다.

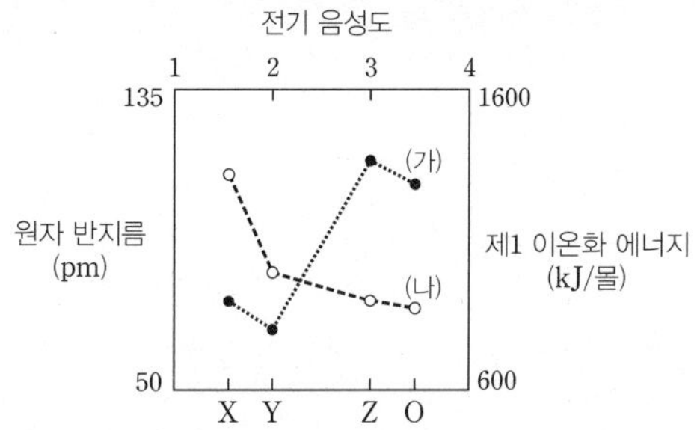


이에 대한 설명으로 옳은 것만을 〈보기〉에서 있는 대로 고른 것은? (단, X~Z는 임의의 원소 기호이다.) [3점]

〈 보기 〉

ㄱ. (가)는 제1 이온화 에너지이다.

ㄴ. 제2 이온화 에너지는 X가 Y보다 크다.

ㄷ. 바닥상태 전자 배치에서 홀전자 수는 $O^+$이 $Z^+$보다 크다.

① ㄱ ② ㄴ ③ ㄱ, ㄷ
④ ㄴ, ㄷ ⑤ ㄱ, ㄴ, ㄷ

[21916-0067] ○ △ ×

**7** 다음은 2, 3주기 바닥상태 원자 A~D에 대한 자료이다.

○ A~D는 13~16족 원소이다.
○ A~D의 홀전자 수 합은 9이다.
○ 전자가 들어 있는 오비탈 수는 B>C=D이다.
○ |$s$ 오비탈의 총 전자 수−$p$ 오비탈의 총 전자 수|는 A와 C가 같다.

A~D에 대한 설명으로 옳은 것만을 <보기>에서 있는 대로 고른 것은? (단, A~D는 임의의 원소 기호이다.) [3점]

<보기>
ㄱ. A는 3주기 13족 원소이다.
ㄴ. B와 C는 같은 족 원소이다.
ㄷ. A와 B의 원자가 전자 수 차이는 C와 D의 원자가 전자 수 차이와 같다.

① ㄱ ② ㄷ ③ ㄱ, ㄴ
④ ㄴ, ㄷ ⑤ ㄱ, ㄴ, ㄷ

[21916-0068] ○ △ ×

**8** 다음은 분자 (가)~(다)에 대한 자료이다.

○ 분자의 구성
– 각 분자는 H, C, O, F 중 2가지 원소로 이루어진 3원자 분자이다.
– 각 분자에서 2주기 원자는 옥텟 규칙을 만족한다.
○ 분자의 와 결합각

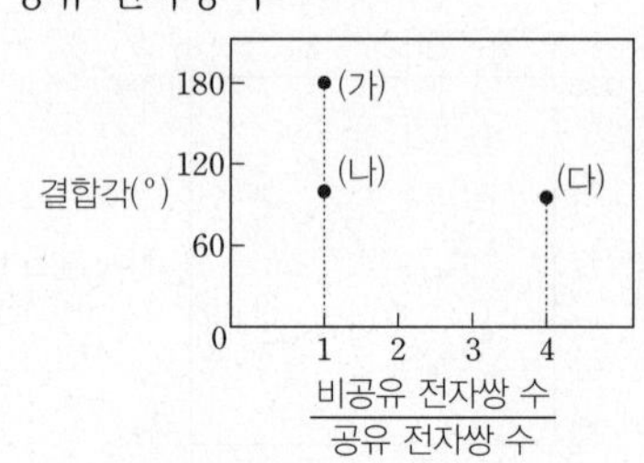


이에 대한 설명으로 옳은 것만을 <보기>에서 있는 대로 고른 것은? [3점]

<보기>
ㄱ. 공유 전자쌍 수는 (가)가 (나)의 2배이다.
ㄴ. (나)에는 다중 결합이 있다.
ㄷ. (다)의 중심 원자는 부분적인 (+)전하를 띤다.

① ㄴ ② ㄷ ③ ㄱ, ㄴ
④ ㄱ, ㄷ ⑤ ㄱ, ㄴ, ㄷ

[21916-0069] ○ △ ×

**9** 다음은 기체 A와 B가 반응하여 기체 C를 생성하는 반응의 화학 반응식이다.

$$aA(g)+B(g) \longrightarrow 2C(g) \quad (a\text{는 반응 계수})$$

표는 A와 B를 실린더에 질량을 다르게 하여 넣고 반응을 완결시켰을 때, 반응 전과 후 전체 기체의 부피를 나타낸 것이다. 분자량은 B가 A의 14배이고, 반응 전과 후 온도와 압력은 같다.

| 실험 | 반응 전 질량 비 | 전체 기체의 부피(L) | |
|---|---|---|---|
| | | 반응 전 | 반응 후 |
| (가) | A : B=2 : 7 | 5 | 3 |
| (나) | A : B=9 : 14 | 10 | 8 |

이에 대한 설명으로 옳은 것만을 <보기>에서 있는 대로 고른 것은? [3점]

<보기>
ㄱ. (가)에서 반응 전 기체의 몰 비는 A : B=4 : 1이다.
ㄴ. $a$=3이다.
ㄷ. (가)와 (나)에서 생성된 C의 질량은 같다.

① ㄱ ② ㄴ ③ ㄱ, ㄷ
④ ㄴ, ㄷ ⑤ ㄱ, ㄴ, ㄷ

[21916-0070] ○ △ ×

**10** 표는 HCl($aq$)과 NaOH($aq$)의 혼합 용액 (가) $V$ mL에 KOH($aq$) 10 mL를 가한 (나)와, (나)에 KOH($aq$) 20 mL를 가한 (다)에 대한 자료이다. ㉠~㉣은 각각 $K^+$, $Na^+$, $Cl^-$, $OH^-$ 중 하나이다.

| 혼합 용액 | 단위 부피당 이온 수 | | | |
|---|---|---|---|---|
| | ㉠ | ㉡ | ㉢ | ㉣ |
| (가) | $16N$ | $32N$ | 0 | $16N$ |
| (나) | $12N$ | $24N$ | $6N$ | $18N$ |
| (다) | $8N$ | $16N$ | $12N$ | $20N$ |

이에 대한 설명으로 옳은 것만을 <보기>에서 있는 대로 고른 것은? (단, 혼합 용액의 부피는 혼합 전 각 용액의 부피 합과 같다.) [3점]

<보기>
ㄱ. ㉣은 $OH^-$이다.
ㄴ. $V$=30이다.
ㄷ. HCl($aq$)과 NaOH($aq$)을 1 : 1의 부피 비로 혼합하여 (가)를 만들었다면 단위 부피당 이온 수는 HCl($aq$) : KOH($aq$)=3 : 2이다.

① ㄱ ② ㄷ ③ ㄱ, ㄴ
④ ㄴ, ㄷ ⑤ ㄱ, ㄴ, ㄷ

# 08회 미니모의고사

제한 시간 15분 / 배점 25점

EBS 수능특강 Q 미니모의고사 화학 I

○ 알고 맞힘 /10 △ 헷갈림 /10 ✕ 모르고 틀림 /10

[21916-0071] ○ △ ✕

**1** **다음은 2가지 반응의 화학 반응식 (가)와 (나)이다.**

(가) $Cu_2S + O_2 \longrightarrow 2Cu + $ [ ㉠ ]

(나) [ ㉠ ] $+ aH_2S \longrightarrow bH_2O + cS$

($a$~$c$는 반응 계수)

**이에 대한 설명으로 옳은 것만을 〈보기〉에서 있는 대로 고른 것은?**

〈 보기 〉

ㄱ. (가)에서 Cu의 산화수는 감소한다.

ㄴ. (나)에서 ㉠은 환원제이다.

ㄷ. $a+b+c=7$이다.

① ㄱ ② ㄷ ③ ㄱ, ㄴ

④ ㄱ, ㄷ ⑤ ㄴ, ㄷ

[21916-0072] ○ △ ✕

**2** **다음은 학생 A가 물질의 용해와 관련된 실험에 대하여 작성한 실험 보고서의 일부이다.**

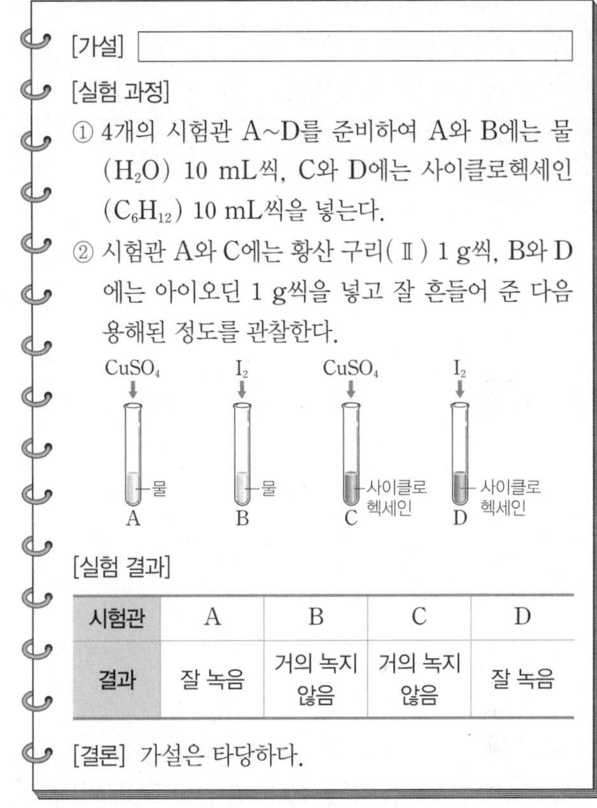

[가설] [ ]

[실험 과정]

① 4개의 시험관 A~D를 준비하여 A와 B에는 물($H_2O$) 10 mL씩, C와 D에는 사이클로헥세인($C_6H_{12}$) 10 mL씩을 넣는다.

② 시험관 A와 C에는 황산 구리(Ⅱ) 1 g씩, B와 D에는 아이오딘 1 g씩을 넣고 잘 흔들어 준 다음 용해된 정도를 관찰한다.



[실험 결과]

| 시험관 | A | B | C | D |
|---|---|---|---|---|
| 결과 | 잘 녹음 | 거의 녹지 않음 | 거의 녹지 않음 | 잘 녹음 |

[결론] 가설은 타당하다.

**학생 A가 실험을 통해 검증하고자 했던 가설로 가장 적절한 것은?**

① 이온 결합 물질은 물에 잘 용해된다.

② 공유 결합 물질은 사이클로헥세인에 잘 용해된다.

③ 극성 물질은 물과 사이클로헥세인 모두에 잘 용해된다.

④ 무극성 물질은 물과 사이클로헥세인 모두에 잘 용해된다.

⑤ 극성 물질은 극성 용매에 잘 용해되고, 무극성 물질은 무극성 용매에 잘 용해된다.

[21916-0073] ○ △ ×

**3** 다음은 바닥상태 원자 X~Z와 관련된 자료이다.

- 전자가 들어 있는 전자 껍질은 X가 Y보다 1개 많다.
- $p$ 오비탈에 들어 있는 전자 수는 X가 Y의 2배이다.
- $Y^-$과 $Z^{2+}$의 전자 배치는 Ne과 같다.

**이에 대한 설명으로 옳은 것만을 〈보기〉에서 있는 대로 고른 것은? (단, X~Z는 임의의 원소 기호이다.)**

〈 보기 〉

ㄱ. 홀전자 수는 X>Y>Z이다.
ㄴ. Y는 17족 원소이다.
ㄷ. X~Z 중 원자 번호는 Z가 가장 크다.

① ㄱ ② ㄷ ③ ㄱ, ㄴ
④ ㄴ, ㄷ ⑤ ㄱ, ㄴ, ㄷ

[21916-0074] ○ △ ×

**4** 표는 2주기 원소 A~C로 이루어진 분자 (가)~(다)에 대한 자료이다. (가)~(다)를 구성하는 모든 원자는 옥텟 규칙을 만족하고, (가)~(다)는 중심 원자 1개와 나머지 원자로 이루어진다.

| 분자 | 구성 원소 | 중심 원자 | 비공유 전자쌍 수 / 공유 전자쌍 수 |
|---|---|---|---|
| (가) | A, B | A | 1 |
| (나) | A, C | A | 3 |
| (다) | B, C | B | 4 |

**(가)~(다)에 대한 설명으로 옳은 것만을 〈보기〉에서 있는 대로 고른 것은? (단, A~C는 임의의 원소 기호이다.)**

〈 보기 〉

ㄱ. (가)에는 2중 결합이 있다.
ㄴ. 구성 원자 수는 (나)가 (다)보다 크다.
ㄷ. 구성 원자가 모두 동일 평면에 있는 분자는 2가지이다.

① ㄴ ② ㄷ ③ ㄱ, ㄴ
④ ㄱ, ㄷ ⑤ ㄱ, ㄴ, ㄷ

[21916-0075] ○ △ ×

**5** 그림은 2, 3주기 원소 A~C의 전기 음성도와 이온 반지름을 나타낸 것이다. A~C의 이온의 전자 배치는 Ne과 같다.

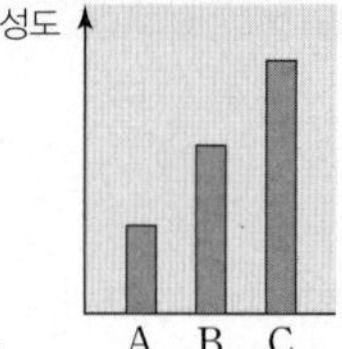


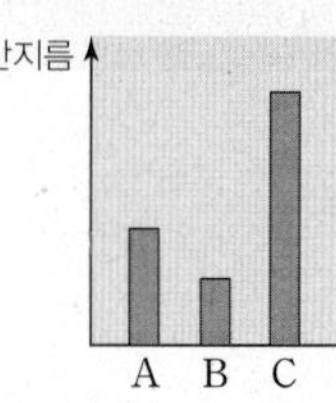


**A~C에 대한 설명으로 옳은 것만을 〈보기〉에서 있는 대로 고른 것은? (단, A~C는 임의의 원소 기호이다.) [3점]**

〈 보기 〉

ㄱ. A와 B는 같은 주기 원소이다.
ㄴ. 원자 반지름은 C가 B보다 크다.
ㄷ. $\frac{\text{이온 반지름}}{\text{원자 반지름}}$이 1보다 큰 원소는 1가지이다.

① ㄱ ② ㄴ ③ ㄱ, ㄷ
④ ㄴ, ㄷ ⑤ ㄱ, ㄴ, ㄷ

[21916-0076] ○ △ ×

**6** 다음은 탄산 칼슘($CaCO_3$)과 묽은 염산($HCl(aq)$)의 화학 반응식이다.

$$CaCO_3(s) + xHCl(aq) \longrightarrow CaCl_2(aq) + yCO_2(g) + H_2O(l)$$

($x$, $y$는 반응 계수)

**이에 대한 설명으로 옳은 것만을 〈보기〉에서 있는 대로 고른 것은? (단, $CaCO_3$의 화학식량은 100이고, 0°C, 1기압에서 기체 1몰의 부피는 22.4 L이다.)**

〈 보기 〉

ㄱ. $x+y=3$이다.
ㄴ. $CaCO_3(s)$ 10 g을 충분한 양의 $HCl(aq)$과 반응시킬 때 발생하는 $CO_2(g)$는 0.1몰이다.
ㄷ. 0°C, 1기압에서 $CO_2(g)$ 5.6 L를 얻으려면 25 g의 $CaCO_3(s)$이 반응하여야 한다.

① ㄱ ② ㄴ ③ ㄱ, ㄷ
④ ㄴ, ㄷ ⑤ ㄱ, ㄴ, ㄷ

[21916-0077] 

**7** 그림은 원자 번호가 연속인 2, 3주기 원자 A~F의 제2 이온화 에너지를 나타낸 것이다. C의 이온과 E의 이온은 각각 Ne의 전자 배치를 갖는다.

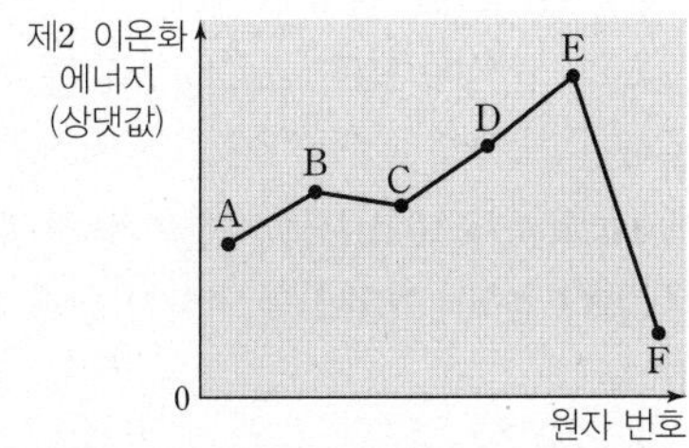


A~F에 대한 설명으로 옳은 것만을 〈보기〉에서 있는 대로 고른 것은? (단, A~F는 임의의 원소 기호이다.) [3점]

〈 보기 〉

ㄱ. 제1 이온화 에너지는 A가 B보다 크다.

ㄴ. $\frac{\text{이온 반지름}}{\text{원자 반지름}}$은 E가 C보다 크다.

ㄷ. 바닥상태에서 전자가 들어 있는 전자 껍질 수는 F가 E보다 크다.

① ㄱ ② ㄴ ③ ㄷ
④ ㄱ, ㄴ ⑤ ㄱ, ㄷ

[21916-0078] 

**8** 표는 같은 온도와 압력에서 실린더 (가)~(다)에 기체 A와 B의 질량을 달리하여 넣었을 때, 전체 기체의 부피를 나타낸 것이다. A와 B는 서로 반응하지 않는다.

| 실린더 | A의 질량(g) | B의 질량(g) | 전체 기체의 부피(L) |
|---|---|---|---|
| (가) | 16 | 8 | $3V$ |
| (나) | 8 | 16 | $2V$ |
| (다) | $x$ | 24 | $2V$ |

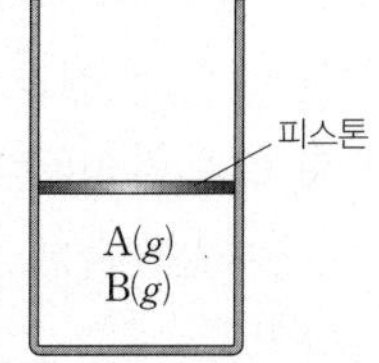


이에 대한 설명으로 옳은 것만을 〈보기〉에서 있는 대로 고른 것은? (단, 피스톤의 질량과 마찰은 무시한다.) [3점]

〈 보기 〉

ㄱ. 분자량 비는 A : B=1 : 4이다.

ㄴ. (나)에서 분자 수 비는 A : B=2 : 1이다.

ㄷ. $x$는 12이다.

① ㄱ ② ㄷ ③ ㄱ, ㄴ
④ ㄴ, ㄷ ⑤ ㄱ, ㄴ, ㄷ

[21916-0079] O △ X

**9** 다음은 기체 A와 B가 반응하여 기체 C를 생성하는 반응의 화학 반응식이다.

$$A(g)+B(g) \longrightarrow 2C(g)$$

표는 A와 B를 실린더에 질량을 다르게 하여 넣고 반응을 완결시켰을 때, 반응 전과 후 실린더에 들어 있는 기체에 대한 자료이다. 반응 전과 후 온도와 압력은 같다.

| 실험 | 반응 전 | | 반응 후 |
|---|---|---|---|
| | A의 질량(g) | B의 질량(g) | 전체 기체의 부피(L) |
| (가) | 0.4 | 7.1 | 3 |
| (나) | 0.2 | 28.4 | 5 |

이에 대한 설명으로 옳은 것만을 〈보기〉에서 있는 대로 고른 것은? [3점]

〈 보기 〉

ㄱ. (가)에서 반응 전 전체 기체의 부피는 3 L이다.

ㄴ. (나)에서 반응 후 기체의 몰 비는 B : C=1 : 2이다.

ㄷ. $\frac{\text{C의 분자량}}{\text{A의 분자량}}=\frac{73}{2}$이다.

① ㄱ ② ㄴ ③ ㄱ, ㄷ
④ ㄴ, ㄷ ⑤ ㄱ, ㄴ, ㄷ

[21916-0080] O △ X

**10** 다음은 중화 반응 실험이다.

[실험 과정]

(가) NaOH($aq$), HCl($aq$)을 준비한다.

(나) NaOH($aq$) $x$ mL에 HCl($aq$) $y$ mL를 가하여 용액 Ⅰ을 만든다.

(다) 용액 Ⅰ에 HCl($aq$) 10 mL를 가하여 용액 Ⅱ를 만든다.

(라) 용액 Ⅱ에 NaOH($aq$) 15 mL를 가하여 용액 Ⅲ을 만든다.

[실험 결과]

○ (나)~(라) 과정에서 생성된 물 분자 수와 용액 속 양이온의 총수(용액 Ⅰ에서 양이온의 총수는 나타내지 않았다.)

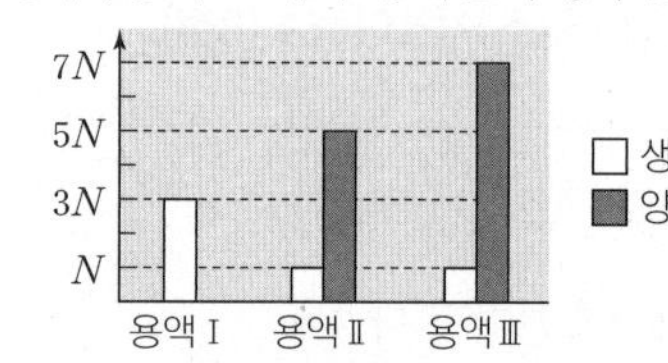


이에 대한 설명으로 옳은 것만을 〈보기〉에서 있는 대로 고른 것은? [3점]

〈 보기 〉

ㄱ. $x>y$이다.

ㄴ. 양이온의 총수는 용액 Ⅰ과 Ⅱ가 같다.

ㄷ. 용액 Ⅰ~Ⅲ을 모두 혼합했을 때 새롭게 생성되는 물 분자 수는 $N$이다.

① ㄴ ② ㄷ ③ ㄱ, ㄴ
④ ㄱ, ㄷ ⑤ ㄱ, ㄴ, ㄷ

# 09회 미니모의고사

제한 시간 15분 / 배점 25점



○ 알고 맞힘 /10 △ 헷갈림 /10 × 모르고 틀림 /10

[21916-0081] ○ △ ×

**1** 다음은 3가지 산 염기 반응의 화학 반응식이다.

(가) $KOH(s) \longrightarrow K^+(aq) +$ ㉠ $(aq)$
(나) $HCl(g) + H_2O(l) \longrightarrow H_3O^+(aq) + Cl^-(aq)$
(다) $NH_3(g) + H_2O(l) \longrightarrow NH_4^+(aq) +$ ㉡ $(aq)$

이에 대한 설명으로 옳은 것만을 〈보기〉에서 있는 대로 고른 것은?

〈 보기 〉
ㄱ. ㉠과 ㉡은 모두 $OH^-$이다.
ㄴ. (나)에서 $HCl(g)$는 아레니우스 산이다.
ㄷ. (다)에서 $NH_3(g)$는 브뢴스테드－로리 염기이다.

① ㄱ ② ㄷ ③ ㄱ, ㄴ
④ ㄴ, ㄷ ⑤ ㄱ, ㄴ, ㄷ

[21916-0082] ○ △ ×

**2** 그림은 화합물 $AB_2$와 $CB_2$의 결합 모형을 나타낸 것이다.

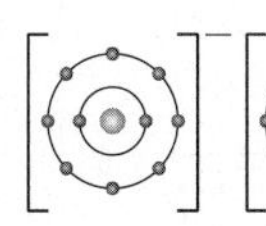
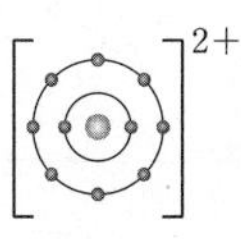
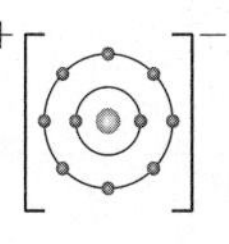

$AB_2$

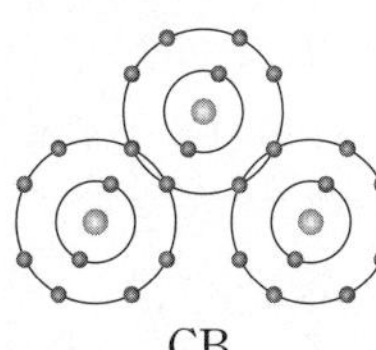
$CB_2$

이에 대한 설명으로 옳은 것만을 〈보기〉에서 있는 대로 고른 것은? (단, A~C는 임의의 원소 기호이다.)

〈 보기 〉
ㄱ. A는 3주기 원소이다.
ㄴ. $B_2$의 공유 전자쌍 수는 2이다.
ㄷ. 화합물 AC는 액체 상태에서 전기 전도성이 있다.

① ㄱ ② ㄴ ③ ㄱ, ㄷ
④ ㄴ, ㄷ ⑤ ㄱ, ㄴ, ㄷ

[21916-0083] ○ △ ×

**3** 다음은 염소 기체를 생성하는 반응의 화학 반응식이다.

$$NaO\underset{㉠}{\underline{Cl}}+aHCl \longrightarrow NaCl+bH_2O+cCl_2$$

($a$~$c$는 반응 계수)

**이에 대한 설명으로 옳은 것만을 〈보기〉에서 있는 대로 고른 것은?**

〈보기〉

ㄱ. $a=b+c$이다.
ㄴ. ㉠의 산화수는 −1이다.
ㄷ. NaOCl은 산화제이다.

① ㄱ ② ㄴ ③ ㄱ, ㄷ
④ ㄴ, ㄷ ⑤ ㄱ, ㄴ, ㄷ

[21916-0084] ○ △ ×

**4** 표는 원소 W~Z로 이루어진 3원자 분자 (가)~(다)에 대한 자료의 일부이다. W~Z는 각각 H, C, O, F 중 하나이고, (가)에서 Y는 부분적인 (−)전하를 띤다.

| 분자 | 구성 원소 | 분자의 극성 |
|---|---|---|
| (가) | W, Y | |
| (나) | X, Y | ㉠ |
| (다) | Y, Z | 무극성 |

**(가)~(다)에 대한 설명으로 옳지 않은 것은?**

① ㉠은 극성이다.
② (다)에는 다중 결합이 있다.
③ 전기 음성도는 X가 W보다 크다.
④ 굽은 형 구조는 2가지이다.
⑤ 비공유 전자쌍 수는 (가)가 가장 크다.

[21916-0085] ○ △ ×

**5** 다음은 0.1 M NaOH 수용액을 만드는 과정이다. NaOH의 화학식량은 40이다.

(가) NaOH $x$ g을 증류수가 들어 있는 비커에 넣어 완전히 용해시킨다.
(나) (가)의 NaOH 수용액을 250 mL [ ㉠ ]에 넣은 다음 증류수로 비커에 묻어 있는 용액을 씻어 넣는다.
(다) [ ㉠ ]에 증류수를 $\frac{2}{3}$ 정도 넣은 다음 흔들거나 뒤집어서 용액을 잘 섞는다.
(라) 증류수를 표시선까지 가하여 0.1 M NaOH 수용액을 만든다.

**이에 대한 설명으로 옳은 것만을 〈보기〉에서 있는 대로 고른 것은?**

〈보기〉

ㄱ. $x=1$이다.
ㄴ. ㉠은 부피 플라스크이다.
ㄷ. 증류수 250 mL에 NaOH 1 g을 용해시킨 수용액의 몰 농도는 0.1 M이다.

① ㄱ ② ㄷ ③ ㄱ, ㄴ
④ ㄴ, ㄷ ⑤ ㄱ, ㄴ, ㄷ

[21916-0086] ○ △ ×

**6** 그림은 바닥상태의 2, 3주기 원자 X~Z의 $p$ 오비탈에 들어 있는 전자 수와 원자의 홀전자 수를 나타낸 것이다.

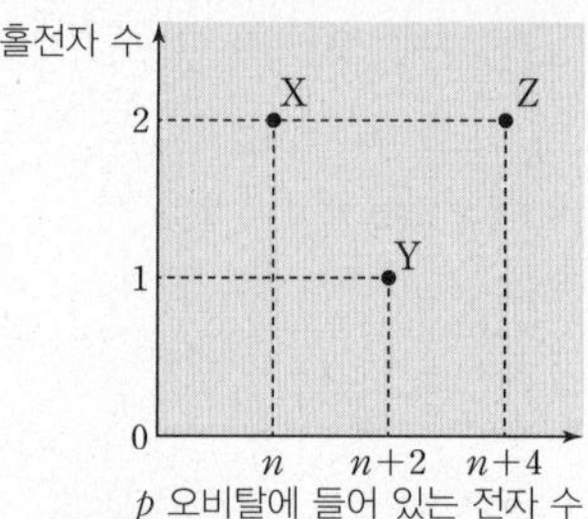


**이에 대한 설명으로 옳은 것만을 〈보기〉에서 있는 대로 고른 것은? (단, X~Z는 임의의 원소 기호이다.) [3점]**

〈보기〉

ㄱ. $s$ 오비탈에 들어 있는 전자 수는 X와 Y가 같다.
ㄴ. 전자가 들어 있는 오비탈 수 비는 Y : Z=3 : 4이다.
ㄷ. $p$ 오비탈에 들어 있는 전자 수가 $n+6$인 바닥상태인 원자의 홀전자 수는 2이다.

① ㄱ ② ㄷ ③ ㄱ, ㄴ
④ ㄴ, ㄷ ⑤ ㄱ, ㄴ, ㄷ

[21916-0087] 

**7** **다음은 2, 3주기 원자 W~Z에 대한 자료이다.**

- W~Z는 각각 13~16족 원소이다.
- W~Z 중 3주기 원소는 1가지이다.
- X의 원자가 전자 수는 3이다.
- 제1 이온화 에너지: W<X<Y<Z
- 원자 반지름: Y<Z<X<W

**W~Z에 대한 설명으로 옳은 것만을 ⟨보기⟩에서 있는 대로 고른 것은? (단, W~Z는 임의의 원소 기호이다.) [3점]**

⟨ 보기 ⟩

ㄱ. W는 3주기 원소이다.
ㄴ. 전기 음성도는 Z가 가장 크다.
ㄷ. 원자가 전자 수는 Y가 X의 2배이다.

① ㄱ　② ㄴ　③ ㄱ, ㄷ　④ ㄴ, ㄷ　⑤ ㄱ, ㄴ, ㄷ

[21916-0088] 

**8** **그림은 실린더에 $X_2$ $x$ g과 $Y_2$ $y$ g을 넣고 어느 한 기체가 모두 없어질 때까지 반응시켰을 때 반응 전과 후의 물질을 모형으로 나타낸 것이다. 반응 후 생성물은 1종류이며 나타내지 않았다.**

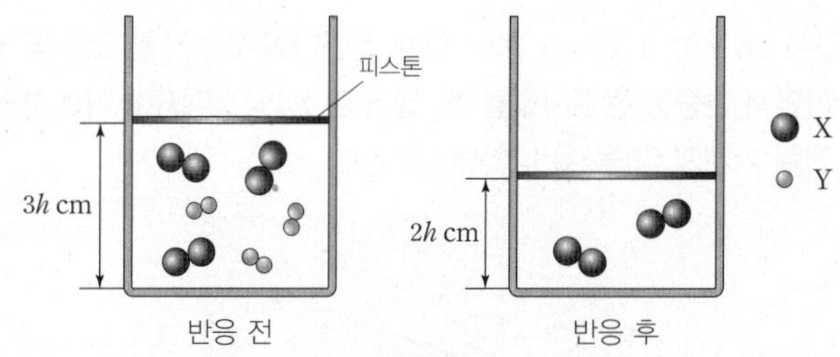


**이에 대한 설명으로 옳은 것만을 ⟨보기⟩에서 있는 대로 고른 것은? (단, X, Y는 임의의 원소 기호이며, 반응 전과 후의 온도와 압력은 일정하고, 반응물과 생성물은 모두 기체이다.) [3점]**

⟨ 보기 ⟩

ㄱ. $\dfrac{\text{반응 전 기체의 밀도}}{\text{반응 후 기체의 밀도}}=\dfrac{2}{3}$이다.
ㄴ. 생성물의 화학식은 $XY_2$이다.
ㄷ. $X_2$와 $Y_2$는 $x$ : $3y$의 질량 비로 반응한다.

① ㄴ　② ㄷ　③ ㄱ, ㄴ　④ ㄱ, ㄷ　⑤ ㄱ, ㄴ, ㄷ

[21916-0089] ○ △ ✕

**9** 다음은 기체 $A_2$와 $B_2$가 반응하여 기체 X를 생성하는 반응의 화학 반응식이다.

$$aA_2(g)+bB_2(g) \longrightarrow cX(g) \quad (a\sim c\text{는 반응 계수})$$

그림은 56 g의 $A_2(g)$가 들어 있는 실린더에 $B_2(g)$를 조금씩 넣어 가면서 반응을 완결시켰을 때, 넣어 준 $B_2$의 양(몰)에 따른 반응 후 전체 기체의 양(몰)을 나타낸 것이다.

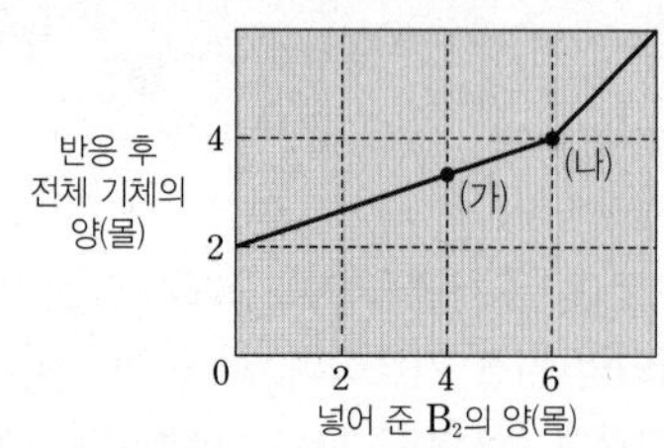


이에 대한 설명으로 옳은 것만을 〈보기〉에서 있는 대로 고른 것은? (단, A, B는 임의의 원소 기호이다.) [3점]

〈보기〉

ㄱ. $a+b=2c$이다.
ㄴ. A의 원자량은 14이다.
ㄷ. (가)에서 반응 후 실린더에 들어 있는 X의 양(몰)은 반응하지 않고 남은 $A_2$의 양(몰)의 4배이다.

① ㄱ ② ㄴ ③ ㄱ, ㄷ ④ ㄴ, ㄷ ⑤ ㄱ, ㄴ, ㄷ

[21916-0090] ○ △ ✕

**10** 다음은 중화 반응 실험이다. $x$는 0보다 크다.

[실험 과정]

(가) HCl($aq$) 10 mL에 NaOH($aq$) 20 mL를 혼합하여 용액 Ⅰ을 만든다.

(나) 용액 Ⅰ에 KOH($aq$) 30 mL를 첨가하여 혼합 용액 Ⅱ를 만든다.

[실험 결과]

○ 혼합 용액 Ⅰ과 Ⅱ에 존재하는 1 mL당 양이온 수는 다음과 같다.

| 양이온의 종류 | | A | B | C |
|---|---|---|---|---|
| 1 mL당 이온 수 | Ⅰ | $4N$ | $2N$ | 0 |
| | Ⅱ | $x$ | 0 | $2N$ |

이에 대한 설명으로 옳은 것만을 〈보기〉에서 있는 대로 고른 것은? (단, 혼합 용액의 부피는 혼합 전 각 용액의 부피의 합과 같다.) [3점]

〈보기〉

ㄱ. A는 $Na^+$이다.
ㄴ. $x$는 $2N$이다.
ㄷ. 혼합 용액 Ⅱ에서 $OH^-$의 수는 $60N$이다.

① ㄱ ② ㄷ ③ ㄱ, ㄴ ④ ㄴ, ㄷ ⑤ ㄱ, ㄴ, ㄷ

# 10회 미니모의고사

제한 시간 15분 / 배점 25점



○ 알고 맞힘 /10 △ 헷갈림 /10 × 모르고 틀림 /10

[21916-0091] 

**1** **그림은 A를 소량 녹인 수용액에 전류를 흘려 주었을 때 물이 분해되어 기체가 발생하는 것을 나타낸 것이다.**

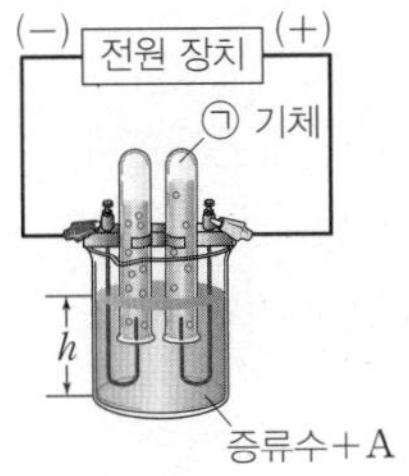


**이에 대한 설명으로 옳은 것만을 〈보기〉에서 있는 대로 고른 것은? (단, 증발에 의한 물의 부피 변화는 무시한다.)**

〈보기〉
ㄱ. A는 무극성 분자이다.
ㄴ. 물이 전자를 잃어 ㉠ 기체가 생성된다.
ㄷ. 반응이 진행될수록 비커 내 물의 높이 $h$는 증가한다.

① ㄱ ② ㄴ ③ ㄱ, ㄴ
④ ㄱ, ㄷ ⑤ ㄴ, ㄷ

[21916-0092] ○ △ ×

**2** **다음은 분자 $BF_3$, HCN, $Cl_2$, $CH_2O$를 기준 (가)와 (나)로 분류한 벤 다이어그램이다.**

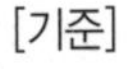

[기준]
(가) 극성 공유 결합이 있는 분자
(나) 무극성 분자

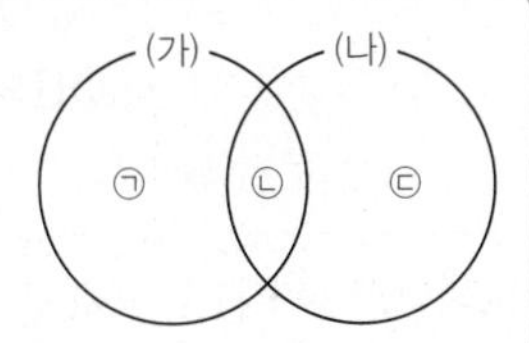


**이에 대한 설명으로 옳은 것만을 〈보기〉에서 있는 대로 고른 것은?**

〈보기〉
ㄱ. ㉠에 해당하는 분자에는 비공유 전자쌍이 있다.
ㄴ. ㉡에 해당하는 분자의 중심 원자는 옥텟 규칙을 만족한다.
ㄷ. ㉡과 ㉢에 각각 해당하는 분자의 가짓수는 같다.

① ㄴ ② ㄷ ③ ㄱ, ㄴ
④ ㄱ, ㄷ ⑤ ㄱ, ㄴ, ㄷ

[21916-0093] ○ △ ×

**3** 다음은 0.5 M NaOH 수용액을 만드는 과정이다.

(가) NaOH $x$ g을 증류수가 들어 있는 비커에 넣어 완전히 녹인다.
(나) (가)의 용액을 500 mL [ ㉠ ]에 모두 넣은 후 표시선까지 증류수를 가한다.

이에 대한 설명으로 옳은 것만을 〈보기〉에서 있는 대로 고른 것은?

〈보기〉
ㄱ. (가)에서 필요한 NaOH은 0.5몰이다.
ㄴ. $x$를 구할 때 NaOH의 화학식량이 필요하다.
ㄷ. ㉠은 부피 플라스크이다.

① ㄱ ② ㄴ ③ ㄱ, ㄷ
④ ㄴ, ㄷ ⑤ ㄱ, ㄴ, ㄷ

[21916-0094] ○ △ ×

**4** 다음은 $Fe_2O_3$과 관련된 2가지 반응의 화학 반응식이다. $a$~$f$는 반응 계수이다.

(가) $a\mathrm{Fe_2O_3}(s)+b\mathrm{C}(s) \longrightarrow c\mathrm{Fe}(s)+3\mathrm{CO_2}(g)$
(나) $d\mathrm{Fe_2O_3}(s)+e\mathrm{CO}(g) \longrightarrow f\mathrm{Fe}(s)+3\mathrm{CO_2}(g)$

이에 대한 설명으로 옳은 것만을 〈보기〉에서 있는 대로 고른 것은?

〈보기〉
ㄱ. $a=b$이다.
ㄴ. (가)와 (나)에서 $Fe_2O_3$은 산화제이다.
ㄷ. 같은 질량의 Fe이 생성될 때 반응하는 $Fe_2O_3$의 질량은 (가)와 (나)가 같다.

① ㄱ ② ㄴ ③ ㄷ
④ ㄱ, ㄴ ⑤ ㄴ, ㄷ

[21916-0095] ○ △ ×

**5** 표는 양성자수가 $n$인 원소 X로 이루어진 분자 $X_2$의 분자량과 존재 비율에 대한 자료이다.

| 분자량 | 70 | 72 | 74 |
|---|---|---|---|
| 존재 비율 | $\frac{9}{16}$ | $\frac{6}{16}$ | $\frac{1}{16}$ |

이에 대한 설명으로 옳은 것만을 〈보기〉에서 있는 대로 고른 것은? (단, X는 임의의 원소 기호이고, 원자량은 질량수와 같다고 가정한다.) [3점]

〈보기〉
ㄱ. X는 3가지 동위 원소가 존재한다.
ㄴ. X의 중성자수 중 가장 큰 값은 $37-n$이다.
ㄷ. X의 평균 원자량은 36이다.

① ㄱ ② ㄴ ③ ㄱ, ㄷ
④ ㄴ, ㄷ ⑤ ㄱ, ㄴ, ㄷ

[21916-0096] ○ △ ×

**6** 표는 바닥상태 2주기 원자 A~D의 $\frac{\text{전자가 들어 있는 } p \text{ 오비탈 수}}{\text{홀전자 수}}$를 나타낸 것이다. 홀전자 수는 A~C가 같다.

| 원자 | $\frac{\text{전자가 들어 있는 } p \text{ 오비탈 수}}{\text{홀전자 수}}$ |
|---|---|
| A | 0 |
| B | 1 |
| C | ㉠ |
| D | 1.5 |

이에 대한 설명으로 옳은 것만을 〈보기〉에서 있는 대로 고른 것은? (단, A~D는 임의의 원소 기호이다.)

〈보기〉
ㄱ. ㉠은 3이다.
ㄴ. $A_2D$는 용융 상태에서 전기 전도성이 있다.
ㄷ. $BC_3$ 분자의 쌍극자 모멘트는 0이다.

① ㄱ ② ㄴ ③ ㄱ, ㄷ
④ ㄴ, ㄷ ⑤ ㄱ, ㄴ, ㄷ

[21916-0097] 

**7** 그림은 2주기 원소 A~C의 제1 이온화 에너지와 원자가 전자가 느끼는 유효 핵전하를 나타낸 것이다. 바닥상태 원자의 전자 배치에서 A, B, C의 홀전자 수는 각각 1, 2, 3이다.

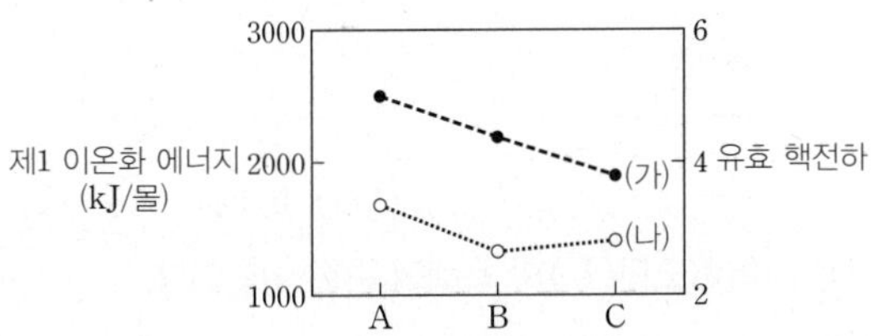


이에 대한 설명으로 옳은 것만을 <보기>에서 있는 대로 고른 것은? (단, A~C는 임의의 원소 기호이다.) [3점]

〈 보기 〉
ㄱ. (가)는 제1 이온화 에너지이다.
ㄴ. 원자 번호는 B가 C보다 크다.
ㄷ. 제2 이온화 에너지는 B가 A보다 크다.

① ㄱ ② ㄷ ③ ㄱ, ㄴ
④ ㄴ, ㄷ ⑤ ㄱ, ㄴ, ㄷ

[21916-0098] 

**8** 표는 20°C, 1기압에서 3가지 기체에 대한 자료이다.

| 기체 | 분자식 | 부피(L) | 질량(g) |
|---|---|---|---|
| (가) | $X_2$ | 12 | 1 |
| (나) | $YX_4$ | 6 | 4 |
| (다) | $YZ_2$ | 12 | 22 |

이에 대한 설명으로 옳은 것만을 <보기>에서 있는 대로 고른 것은? (단, X~Z는 임의의 원소 기호이다.) [3점]

〈 보기 〉
ㄱ. 분자량 비는 (나) : (다)=4 : 11이다.
ㄴ. 원자량은 Z가 Y보다 크다.
ㄷ. 1 g에 들어 있는 X 원자 수는 (가)가 (나)의 4배이다.

① ㄱ ② ㄴ ③ ㄱ, ㄷ
④ ㄴ, ㄷ ⑤ ㄱ, ㄴ, ㄷ

[21916-0099]

**9** 표는 $HCl(aq)$, $NaOH(aq)$, $KOH(aq)$의 부피를 달리하여 혼합한 용액 (가)~(다)에 대한 자료이다. (가)와 (나)의 액성은 서로 다르다.

| 혼합 용액 | 혼합 전 용액의 부피(mL) | | | 혼합 용액 내 양이온 수 |
|---|---|---|---|---|
| | $HCl(aq)$ | $NaOH(aq)$ | $KOH(aq)$ | |
| (가) | 5 | 3 | 3 | $15N$ |
| (나) | 5 | 5 | 7 | $17N$ |
| (다) | 6 | 5 | 10 | $20N$ |

이에 대한 설명으로 옳은 것만을 <보기>에서 있는 대로 고른 것은? (단, 혼합 용액의 부피는 혼합 전 각 용액의 부피의 합과 같다.) [3점]

〈 보기 〉
ㄱ. (가)에서 생성된 물 분자 수는 $9N$이다.
ㄴ. 단위 부피당 이온 수 비는 $NaOH(aq)$ : $KOH(aq)$= 2 : 1이다.
ㄷ. (가)와 (나)를 혼합한 용액은 염기성이다.

① ㄱ ② ㄷ ③ ㄱ, ㄴ
④ ㄴ, ㄷ ⑤ ㄱ, ㄴ, ㄷ

[21916-0100]

**10** 다음은 기체 A와 B가 반응하여 기체 C를 생성하는 반응의 화학 반응식이다.

$$a\text{A}(g)+b\text{B}(g) \longrightarrow 2\text{C}(g)\ (a, b\text{는 반응 계수})$$

표는 A와 B를 실린더에 질량을 다르게 하여 넣고 반응을 완결시켰을 때, 반응 전과 후 기체에 대한 자료이다. 분자량 비는 A : B=7 : 8이다.

| 실험 | 반응 전 | | | 반응 후 전체 기체의 부피 (L) |
|---|---|---|---|---|
| | A의 질량 (g) | B의 질량 (g) | 전체 기체의 부피 (L) | |
| (가) | $7w$ | $16w$ | 6 | 4 |
| (나) | ㉠ | $16w$ | 8 | 6 |
| (다) | $7w$ | ㉡ | 8 | 6 |

이에 대한 설명으로 옳은 것만을 <보기>에서 있는 대로 고른 것은? (단, 온도와 압력은 일정하다.) [3점]

〈 보기 〉
ㄱ. (가)와 (나)에서 생성된 C의 질량은 같다.
ㄴ. $a+b=3$이다.
ㄷ. ㉠+㉡=$38w$이다.

① ㄱ ② ㄴ ③ ㄱ, ㄷ
④ ㄴ, ㄷ ⑤ ㄱ, ㄴ, ㄷ

# 11회 미니모의고사

제한 시간 15분 / 배점 25점



○ 알고 맞힘 /10 △ 헷갈림 /10 ✕ 모르고 틀림 /10

[21916-0101] ○ △ ✕

**1** 그림은 3가지 분자를 주어진 기준에 따라 분류한 것을 나타낸 것이다. ㉠~㉢은 각각 $CO_2$, $CH_2O$, $CH_2Cl_2$ 중 하나이다.

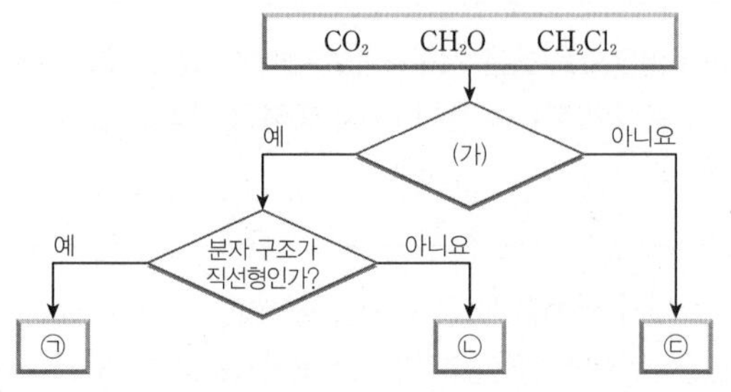


분류 기준 (가)에 적용할 수 있는 것만을 〈보기〉에서 있는 대로 고른 것은?

〈 보기 〉
ㄱ. 극성 분자인가?
ㄴ. 다중 결합이 존재하는가?
ㄷ. 구성 원자가 모두 동일 평면에 존재하는가?

① ㄱ ② ㄴ ③ ㄱ, ㄷ
④ ㄴ, ㄷ ⑤ ㄱ, ㄴ, ㄷ

[21916-0102] ○ △ ✕

**2** 다음은 아이오딘($I_2$)의 용해에 관한 실험이다.

[실험 과정]
(가) 시험관 A에는 사이클로헥세인($C_6H_{12}$) 10 mL를, B에는 물($H_2O$) 10 mL를 넣는다.
(나) 시험관 A, B에 아이오딘($I_2$)을 각각 0.2 g씩 넣고 잘 흔든 후, 용해된 정도를 관찰한다.

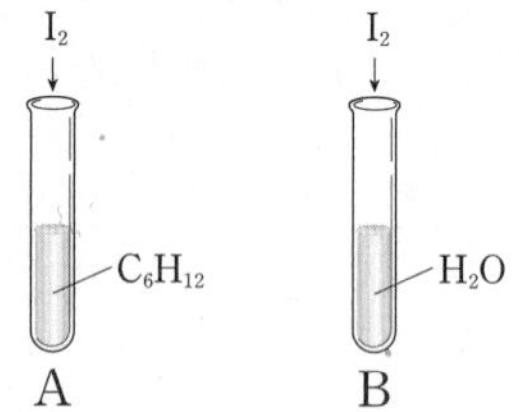


[실험 결과]
○ 두 시험관 중 ( ㉠ )에서 $I_2$이 잘 용해되었고, 다른 쪽 시험관에서는 $I_2$이 거의 용해되지 않았다.

이에 대한 설명으로 옳은 것만을 〈보기〉에서 있는 대로 고른 것은?

〈 보기 〉
ㄱ. $I_2$은 무극성 분자이다.
ㄴ. $H_2O$ 분자의 쌍극자 모멘트는 0이다.
ㄷ. ㉠은 시험관 B이다.

① ㄱ ② ㄴ ③ ㄱ, ㄷ
④ ㄴ, ㄷ ⑤ ㄱ, ㄴ, ㄷ

[21916-0103]

**3** **그림은 원자 A, C가 각각 원자 B와 결합하여 2가지 화합물이 형성되는 것을 나타낸 것이다.**

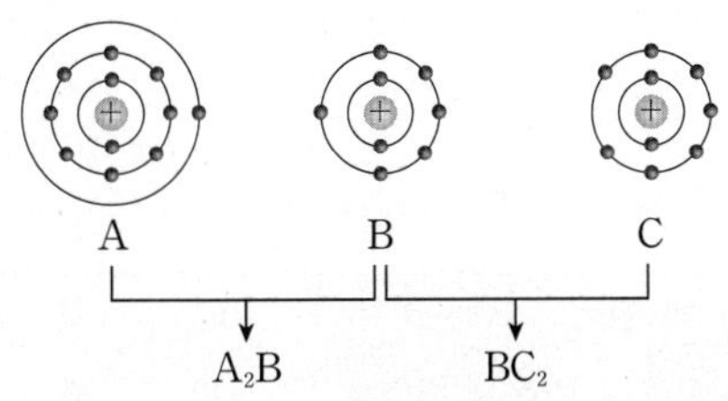


**이에 대한 설명으로 옳은 것만을 〈보기〉에서 있는 대로 고른 것은? (단, A~C는 임의의 원소 기호이다.)**

〈 보기 〉
ㄱ. $A_2B(l)$는 전기 전도성이 있다.
ㄴ. $A_2B$와 $BC_2$에서 B는 모두 옥텟 규칙을 만족한다.
ㄷ. $BC_2$에 있는 공유 전자쌍 수와 비공유 전자쌍 수의 차는 4이다.

① ㄴ ② ㄷ ③ ㄱ, ㄴ
④ ㄱ, ㄷ ⑤ ㄱ, ㄴ, ㄷ

[21916-0104]

**4** **표는 바닥상태인 원자 X, Y에서 오비탈 (가)~(다)에 들어 있는 전자 수에 대한 자료이다. (가)~(다)는 각각 $1s$, $2s$, $2p$ 중 하나이다.**

| 원자 | 오비탈에 들어 있는 전자 수 | | |
|---|---|---|---|
| | (가) | (나) | (다) |
| X | 1 | 2 | $a$ |
| Y | 2 | $b$ | 3 |

**이에 대한 설명으로 옳은 것만을 〈보기〉에서 있는 대로 고른 것은? (단, X, Y는 임의의 원소 기호이다.)**

〈 보기 〉
ㄱ. $a$는 $b$보다 크다.
ㄴ. (나)는 $2s$ 오비탈이다.
ㄷ. 홀전자가 들어 있는 오비탈의 수는 Y가 X의 3배이다.

① ㄱ ② ㄷ ③ ㄱ, ㄴ
④ ㄴ, ㄷ ⑤ ㄱ, ㄴ, ㄷ

[21916-0105]

**5** **그림은 25°C에서 NaOH 수용액을 희석시키는 과정을 나타낸 것이다. (나)에서 수용액의 밀도는 $d$ g/mL이다.**

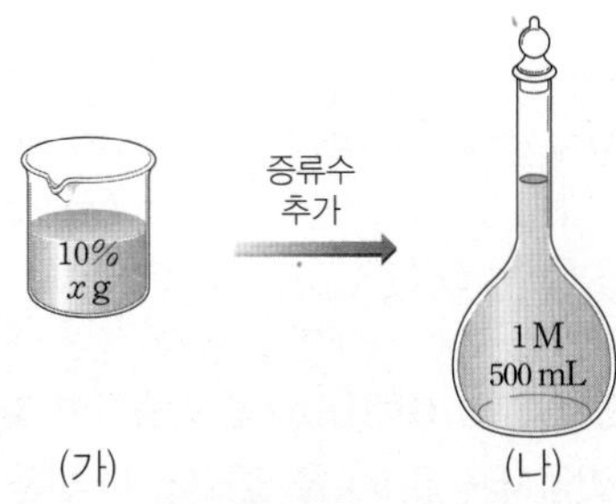


**이에 대한 설명으로 옳은 것만을 〈보기〉에서 있는 대로 고른 것은? (단, 온도는 일정하고, NaOH의 화학식량은 40이다.)**

〈 보기 〉
ㄱ. $x=200$이다.
ㄴ. 추가된 증류수의 질량은 $(500d-180)$ g이다.
ㄷ. (나)의 % 농도는 $\frac{4}{d}$%이다.

① ㄱ ② ㄴ ③ ㄱ, ㄷ
④ ㄴ, ㄷ ⑤ ㄱ, ㄴ, ㄷ

[21916-0106]

**6** **그림은 2, 3주기 원자 X~Z의 원자가 전자 수와 제2 이온화 에너지를 나타낸 것이다.**

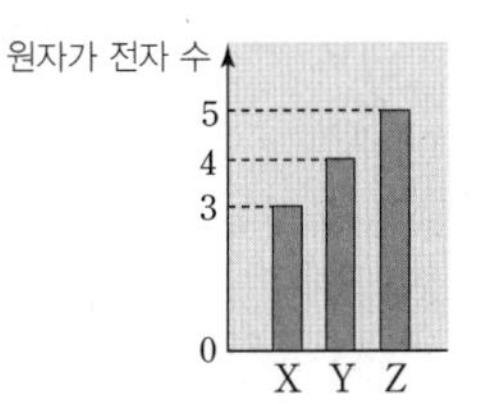


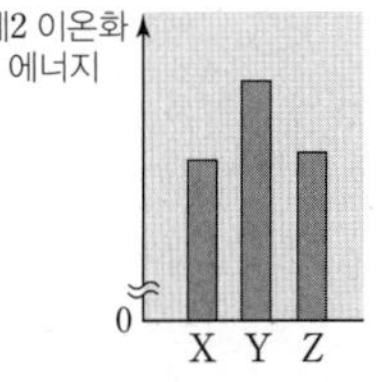


**X~Z에 대한 설명으로 옳은 것만을 〈보기〉에서 있는 대로 고른 것은? (단, X~Z는 임의의 원소 기호이다.) [3점]**

〈 보기 〉
ㄱ. 2주기 원소는 2가지이다.
ㄴ. 제1 이온화 에너지는 Y가 X보다 크다.
ㄷ. 원자가 전자가 느끼는 유효 핵전하는 Z가 X보다 크다.

① ㄱ ② ㄷ ③ ㄱ, ㄴ
④ ㄴ, ㄷ ⑤ ㄱ, ㄴ, ㄷ

[21916-0107] ○ △ ×

**7** 다음은 금속 M과 $HCl(aq)$을 반응시켜 $H_2(g)$를 얻은 다음, 이것을 $O_2(g)$와 반응시켜 $H_2O(l)$을 얻는 과정의 화학 반응식이다.

- 1단계: $aM(s)+bHCl(aq) \longrightarrow MCl_2(aq)+cH_2(g)$
  ($a$~$c$는 반응 계수)
- 2단계: $2H_2(g)+O_2(g) \longrightarrow 2H_2O(l)$

M 12 g과 충분한 양의 $HCl(aq)$을 반응시켜 발생한 $H_2(g)$를 모두 $O_2(g)$와 반응시켜 물 9 g을 얻었다. 이 반응에 대한 설명으로 옳은 것만을 <보기>에서 있는 대로 고른 것은? (단, M은 임의의 원소 기호이고, H, O의 원자량은 각각 1, 16이다.) [3점]

〈 보기 〉

ㄱ. $a+b+c=3$이다.
ㄴ. 발생한 $H_2(g)$는 1몰이다.
ㄷ. M의 원자량은 24이다.

① ㄱ ② ㄷ ③ ㄱ, ㄴ
④ ㄴ, ㄷ ⑤ ㄱ, ㄴ, ㄷ

[21916-0108] ○ △ ×

**8** 다음은 $AB_4$와 $C_2$가 반응하는 산화 환원 반응의 화학 반응식과 이에 대한 자료이다.

- 화학 반응식: $AB_4+xC_2 \longrightarrow AC_2+yB_2C$
  ($x$, $y$는 반응 계수)
- A~C의 산화수 변화에 대한 자료

| 원소 | A | B | C |
|---|---|---|---|
| 반응 전 산화수 − 반응 후 산화수 | −8 | 0 | $z$ |

이에 대한 설명으로 옳은 것만을 <보기>에서 있는 대로 고른 것은? (단, A~C는 임의의 원소 기호이다.) [3점]

〈 보기 〉

ㄱ. $x=y$이다.
ㄴ. $z=2$이다.
ㄷ. 전기 음성도는 A>B>C이다.

① ㄱ ② ㄷ ③ ㄱ, ㄴ
④ ㄴ, ㄷ ⑤ ㄱ, ㄴ, ㄷ

[21916-0109] 

**9** 다음은 기체 A와 B가 반응하여 기체 C를 생성하는 반응의 화학 반응식이다.

$$aA(g)+2B(g) \longrightarrow 2C(g) \quad (a\text{는 반응 계수})$$

표는 A와 B를 부피를 다르게 하여 실린더에 넣고 반응을 완결시켰을 때, 반응 전과 후 기체에 대한 자료이다. 반응 전과 후 온도와 압력은 같고, 실험 조건에서 기체 1몰의 부피는 24 L이다.

| 실험 | 반응 전 | | 반응 후 | | |
|---|---|---|---|---|---|
| | A의 부피 (L) | B의 부피 (L) | A의 질량 (g) | B의 질량 (g) | 전체 기체의 부피 (L) |
| (가) | $V_1$ | $V_1$ | 16 | 0 | 36 |
| (나) | $V_2$ | $3V_2$ | 0 | 28 | 72 |

이에 대한 설명으로 옳은 것만을 〈보기〉에서 있는 대로 고른 것은? [3점]

〈 보기 〉

ㄱ. $a=1$이다.

ㄴ. $V_2=2V_1$이다.

ㄷ. $\dfrac{\text{C의 분자량}}{\text{A의 분자량}}=\dfrac{11}{4}$이다.

① ㄱ ② ㄴ ③ ㄱ, ㄷ ④ ㄴ, ㄷ ⑤ ㄱ, ㄴ, ㄷ

[21916-0110] ○ △ ✕

**10** 표는 HCl($aq$), HBr($aq$), NaOH($aq$)의 부피를 달리하여 혼합한 용액 (가)~(다)에 대한 자료이다. X 이온과 Y 이온은 음이온이다.

| 혼합 용액 | | (가) | (나) | (다) |
|---|---|---|---|---|
| 혼합 전 용액의 부피(mL) | HCl($aq$) | 20 | 20 | 40 |
| | HBr($aq$) | 10 | 20 | 10 |
| | NaOH($aq$) | 10 | 40 | 10 |
| 단위 부피당 이온 수 | 총 이온 | $5N$ | $10N$ | $4N$ |
| | X 이온 | $\frac{1}{2}N$ | $xN$ | 0 |
| | Y 이온 | $N$ | $N$ | $yN$ |

이에 대한 설명으로 옳은 것만을 〈보기〉에서 있는 대로 고른 것은? (단, 혼합 용액의 부피는 혼합 전 각 용액의 부피의 합과 같다.) [3점]

〈 보기 〉

ㄱ. $x=\dfrac{7}{2}$이다.

ㄴ. $y=\dfrac{2}{3}$이다.

ㄷ. 단위 부피당 이온 수 비는 HCl($aq$) : HBr($aq$) : NaOH($aq$)=1 : 2 : 5이다.

① ㄴ ② ㄷ ③ ㄱ, ㄴ ④ ㄱ, ㄷ ⑤ ㄱ, ㄴ, ㄷ

제한 시간 15분 / 배점 25점

EBS 수능특강 Q 미니모의고사 화학 I

# 12회 미니모의고사

○ 알고 맞힘 /10 △ 헷갈림 /10 ✕ 모르고 틀림 /10

[21916-0111] ○ △ ✕

**1** 다음은 2가지 반응의 화학 반응식이다.

(가) $MnCO_3 + 2HCl \longrightarrow MnCl_2 + H_2O + CO_2$
(나) $Zn + 2MnO_2 + aNH_4Cl$
$\longrightarrow ZnCl_2 + Mn_2O_3 + aNH_3 + H_2O$ ($a$는 반응 계수)

**이에 대한 설명으로 옳은 것만을 〈보기〉에서 있는 대로 고른 것은?**

〈 보기 〉
ㄱ. $a=3$이다.
ㄴ. (가)는 산화 환원 반응이다.
ㄷ. (나)에서 $MnO_2$는 산화제이다.

① ㄱ ② ㄷ ③ ㄱ, ㄴ
④ ㄴ, ㄷ ⑤ ㄱ, ㄴ, ㄷ

[21916-0112] ○ △ ✕

**2** 그림은 화합물 AB와 CD를 각각 화학 결합 모형으로 나타낸 것이고, 표는 화합물 (가)~(다)에 대한 자료이다.

A B

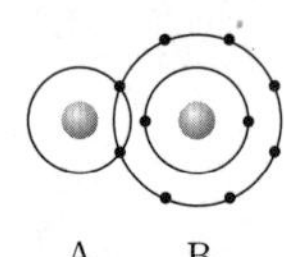

$C^{2+}$

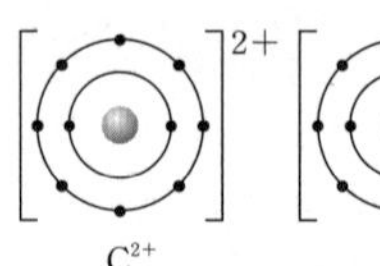

$D^{2-}$

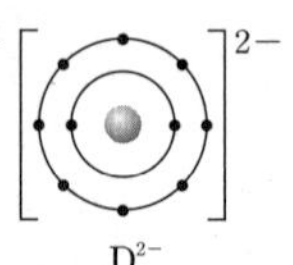

| 화합물 | (가) | (나) | (다) |
|---|---|---|---|
| 원자 수 비 | A : C = 2 : 1 | A : D = 1 : 1 | B : C = 2 : 1 |

**이에 대한 설명으로 옳은 것만을 〈보기〉에서 있는 대로 고른 것은? (단, A~D는 임의의 원소 기호이다.)**

〈 보기 〉
ㄱ. (가)와 (다)는 모두 이온 결합 물질이다.
ㄴ. (나)에서 공유 전자쌍 수와 비공유 전자쌍 수는 같다.
ㄷ. A의 산화수는 (가)와 (나)에서 모두 +1이다.

① ㄱ ② ㄴ ③ ㄱ, ㄷ
④ ㄴ, ㄷ ⑤ ㄱ, ㄴ, ㄷ

[21916-0113] ○ △ ×

**3** **다음은 바닥상태 원자 A~C에 대한 설명이다. A~C는 각각 2주기 1, 2족, 3주기 1, 2, 13족 원소 중 하나이다.**

- ㅇ 홀전자 수는 B와 C는 같고, C는 A보다 크다.
- ㅇ 원자가 전자의 주양자수는 A>C이다.
- ㅇ 원자 반지름은 A>B이다.

**이에 대한 설명으로 옳은 것만을 〈보기〉에서 있는 대로 고른 것은? (단, A~C는 임의의 원소 기호이다.)**

〈보기〉
ㄱ. A는 3주기 원소이다.
ㄴ. B와 C는 같은 족 원소이다.
ㄷ. 제1 이온화 에너지는 A가 B보다 크다.

① ㄱ ② ㄴ ③ ㄱ, ㄷ
④ ㄴ, ㄷ ⑤ ㄱ, ㄴ, ㄷ

[21916-0114] ○ △ ×

**4** **그림은 용기에 들어 있는 기체 A와 B가 반응하여 기체 C를 생성하는 반응이 진행됨에 따라 용기에 존재하는 분자를 모형으로 나타낸 것이다. 모형 1개는 분자 1몰을 의미하고, (가)에서 용기에 들어 있는 C는 나타내지 않았다.**

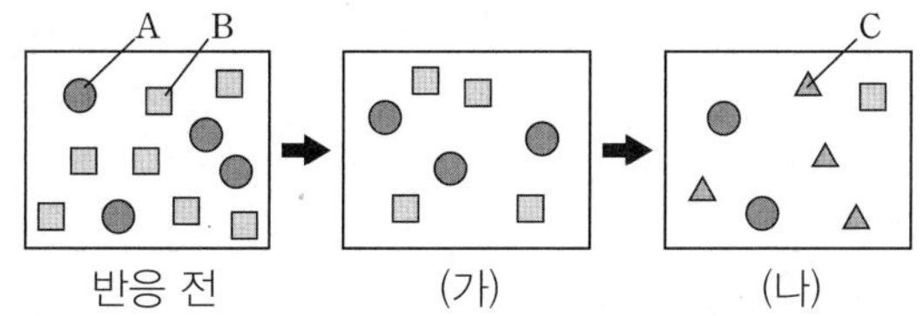


**이에 대한 설명으로 옳은 것만을 〈보기〉에서 있는 대로 고른 것은?**

〈보기〉
ㄱ. 반응하는 물질의 몰 비는 A : B=1 : 3이다.
ㄴ. (가)에서 용기에 들어 있는 C의 양(몰)은 2몰이다.
ㄷ. (나)에서 B 2몰을 추가하여 반응을 완결시키면 용기에 들어 있는 전체 분자의 양(몰)은 7몰이다.

① ㄱ ② ㄷ ③ ㄱ, ㄴ
④ ㄴ, ㄷ ⑤ ㄱ, ㄴ, ㄷ

[21916-0115] ○ △ ×

**5** **표는 2주기 원소 A~C로 이루어진 분자 (가)~(다)에 대한 자료의 일부이다. (가)~(다)는 1개의 중심 원자를 갖고, 모든 원자는 옥텟 규칙을 만족한다.**

| 분자 | (가) | (나) | (다) |
|---|---|---|---|
| 중심 원자와 결합한 원자 수(개) | 2 | 3 | 4 |
| 중심 원자의 비공유 전자쌍 수 | 0 | 1 | |
| 구성 원소 | A, B, C | A, B | A, C |

**(가)~(다)에 대한 설명으로 옳은 것만을 〈보기〉에서 있는 대로 고른 것은? (단, A~C는 임의의 원소 기호이다.)**

〈보기〉
ㄱ. 다중 결합이 존재하는 것은 1가지이다.
ㄴ. 비공유 전자쌍 수는 (다)가 (가)의 3배이다.
ㄷ. 결합각의 크기는 (가)>(나)>(다)이다.

① ㄱ ② ㄷ ③ ㄱ, ㄴ
④ ㄴ, ㄷ ⑤ ㄱ, ㄴ, ㄷ

[21916-0116] ○ △ ×

**6** **그림은 원자 번호가 연속인 2주기 원자 A~C의 제2 이온화 에너지($E_2$)를 나타낸 것이며, 원자 번호는 C>B>A이다.**

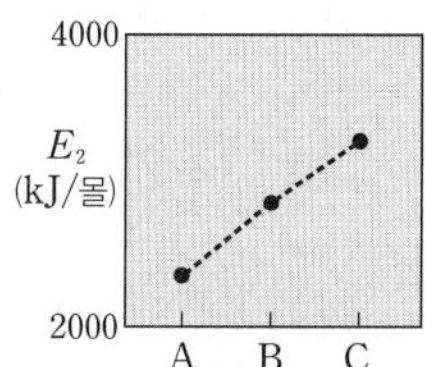


**A~C에 대한 설명으로 옳은 것만을 〈보기〉에서 있는 대로 고른 것은? (단, A~C는 임의의 원소 기호이다.) [3점]**

〈보기〉
ㄱ. 전기 음성도는 C가 B보다 크다.
ㄴ. 바닥상태 전자 배치에서 홀전자 수는 A와 C가 같다.
ㄷ. 제1 이온화 에너지($E_1$)가 가장 큰 것은 C이다.

① ㄱ ② ㄷ ③ ㄱ, ㄴ
④ ㄴ, ㄷ ⑤ ㄱ, ㄴ, ㄷ

[21916-0117] O △ X

**7** 표는 $t$℃, 1기압에서 3가지 기체 (가)~(다)에 대한 자료이다.

| 기체 | 분자식 | $a$몰의 질량(g) | 6 L의 질량(g) | 1 g의 부피(상댓값) |
|---|---|---|---|---|
| (가) | XY | 14 | | 15 |
| (나) | ZY | | 7.5 | 14 |
| (다) | $Z_2Y$ | 22 | | |

$\dfrac{\text{Y의 원자량}}{\text{X의 원자량}} \times a$는? (단, X~Z는 임의의 원소 기호이고, $t$℃, 1기압에서 기체 1몰의 부피는 24 L이다.) [3점]

① $\dfrac{3}{8}$　② $\dfrac{2}{3}$　③ $\dfrac{3}{4}$　④ $\dfrac{4}{3}$　⑤ $\dfrac{3}{2}$

[21916-0118] 

**8** 그림은 바닥상태의 2주기 원자 W~Z에 대하여 $2s$ 오비탈의 전자 수와 $2p$ 오비탈의 전자 수의 비율을 나타낸 것이다. 빗금 친 영역은 $2s$ 오비탈과 $2p$ 오비탈 중 하나이다.

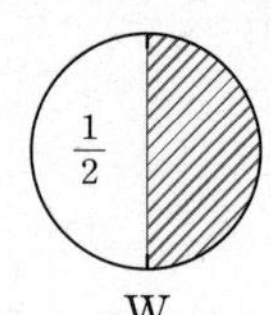

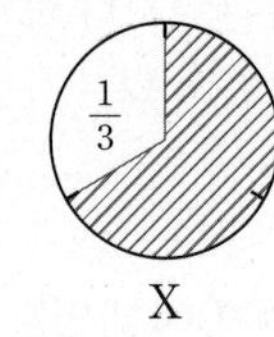

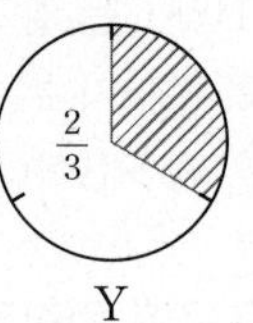

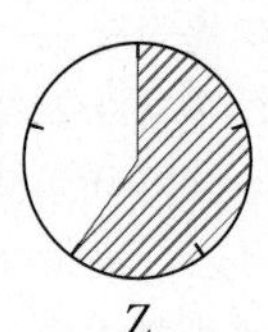


이에 대한 설명으로 옳은 것만을 〈보기〉에서 있는 대로 고른 것은? (단, W~Z는 임의의 원소 기호이다.) [3점]

〈 보기 〉

ㄱ. 홀전자 수는 W와 Y가 같다.

ㄴ. 원자 번호는 X가 Z보다 크다.

ㄷ. Y는 $\dfrac{\text{전자가 들어 있는 } p \text{ 오비탈 수}}{\text{전자가 들어 있는 } s \text{ 오비탈 수}} = \dfrac{3}{2}$이다.

① ㄱ　② ㄴ　③ ㄷ　④ ㄱ, ㄴ　⑤ ㄴ, ㄷ

[21916-0119] 

**9** 다음은 기체 A와 B가 반응하여 기체 C를 생성하는 반응의 화학 반응식이다.

$2A(g)+bB(g) \longrightarrow cC(g)$ ($b$, $c$는 반응 계수)

그림은 일정한 질량의 A가 들어 있는 실린더에 B를 조금씩 넣어 가면서 반응시켰을 때, 넣어 준 B의 질량에 따른 반응 후 전체 기체의 부피를 나타낸 것이다. 반응 전과 후 온도와 압력은 같고, 실험 조건에서 기체 1몰의 부피는 24 L이다.

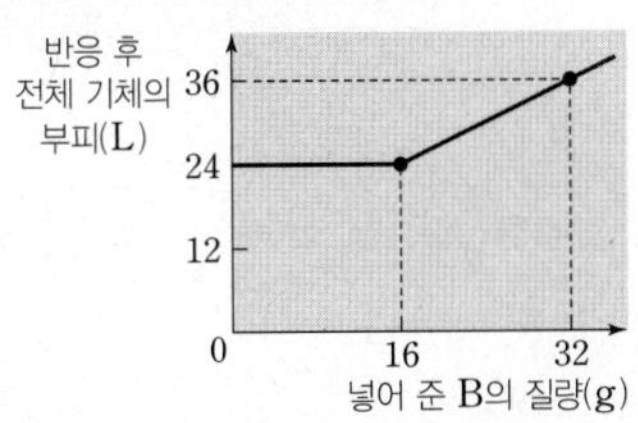


이에 대한 설명으로 옳은 것만을 <보기>에서 있는 대로 고른 것은? [3점]

〈 보기 〉

ㄱ. 반응 전 A의 양(몰)은 1몰이다.
ㄴ. $b+c=3$이다.
ㄷ. B의 분자량은 32이다.

① ㄱ ② ㄴ ③ ㄱ, ㄷ
④ ㄴ, ㄷ ⑤ ㄱ, ㄴ, ㄷ

[21916-0120]

**10** 다음은 산과 염기의 중화 반응에 대한 실험이다.

[실험 과정]
(가) 비커에 NaOH($aq$) $V_1$ mL를 넣는다.
(나) (가)의 용액에 HCl($aq$) $V_2$ mL를 넣어 반응시킨다.
(다) (나)의 혼합 용액에 KOH($aq$) $V_1$ mL를 넣어 반응시킨다.

[실험 결과]
○ (가)~(다) 과정 후의 용액 속에 들어 있는 이온의 총수

| 과정 | (가) | (나) | (다) |
|---|---|---|---|
| 이온의 총수 | $N$ | $3N$ | $4N$ |

○ (가)~(다) 과정 후의 용액 속에 들어 있는 단위 부피당 이온 수는 모두 같다.

이에 대한 설명으로 옳은 것만을 <보기>에서 있는 대로 고른 것은? (단, 온도는 일정하고, 혼합 용액의 부피는 혼합 전 각 용액의 부피의 합과 같다.) [3점]

〈 보기 〉

ㄱ. 혼합 전 수용액의 단위 부피당 이온 수 비는 HCl($aq$) : KOH($aq$)=3 : 4이다.
ㄴ. 각 과정에서 중화 반응에 의해 생성된 물의 양(몰)은 (다) 과정이 (나) 과정의 2배이다.
ㄷ. (다) 과정 후의 혼합 용액에 HCl($aq$) $\frac{2}{3}V_1$ mL를 혼합한 용액은 중성이다.

① ㄱ ② ㄷ ③ ㄱ, ㄴ
④ ㄴ, ㄷ ⑤ ㄱ, ㄴ, ㄷ

# 13회 미니모의고사

제한 시간 15분 / 배점 25점

EBS 수능특강 Q 미니모의고사 화학 I

O 알고 맞힘 /10 △ 헷갈림 /10 X 모르고 틀림 /10

[21916-0121] 

**1** 그림 (가)는 화합물 $A_2B$를 화학 결합 모형으로 나타낸 것이고, (나)는 $A_2B(l)$에 소량의 황산 나트륨을 넣고 전기 분해하였을 때, 두 전극에서 기체 ㉠과 ㉡이 발생하는 모습을 나타낸 것이다.

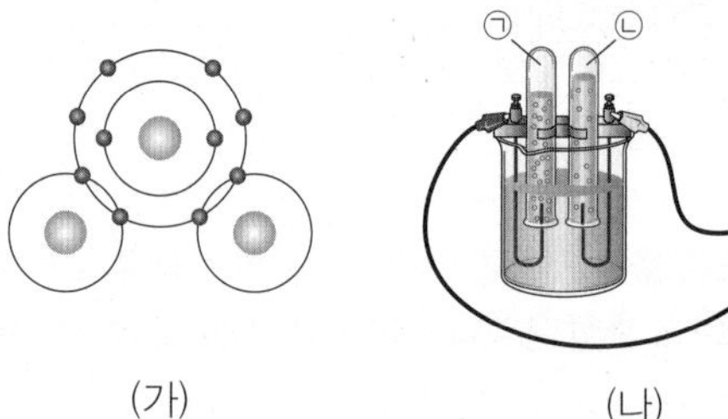


(가) (나)

이에 대한 설명으로 옳은 것만을 〈보기〉에서 있는 대로 고른 것은? (단, A, B는 임의의 원소 기호이다.)

〈 보기 〉

ㄱ. $A_2B$는 이온 결합 물질이다.

ㄴ. ㉠은 $A_2$이다.

ㄷ. $A_2B(l)$ 1몰이 분해될 때 ㉡은 1몰 생성된다.

① ㄱ ② ㄴ ③ ㄷ
④ ㄱ, ㄴ ⑤ ㄴ, ㄷ

[21916-0122] O △ X

**2** 그림은 물질 ABC와 $DB_2$를 화학 결합 모형으로 나타낸 것이다.

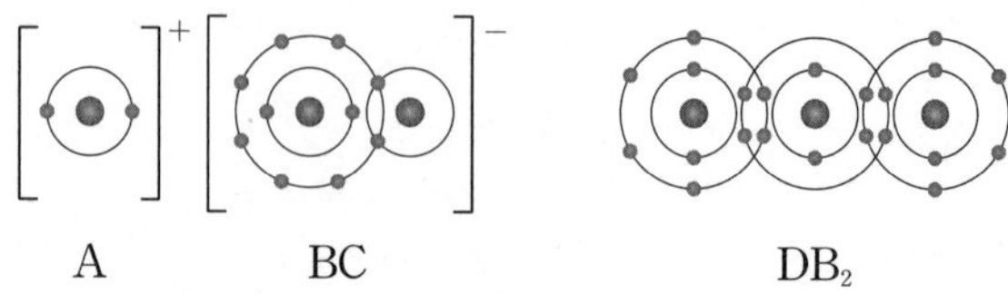


이에 대한 설명으로 옳은 것만을 〈보기〉에서 있는 대로 고른 것은? (단, A~D는 임의의 원소 기호이다.)

〈 보기 〉

ㄱ. 액체 상태에서 전기 전도성은 $A_2B$가 $DC_4$보다 크다.

ㄴ. $B_2$와 $DC_2B$에는 2중 결합이 있다.

ㄷ. AC와 $C_2B$에서 C의 산화수는 같다.

① ㄱ ② ㄷ ③ ㄱ, ㄴ
④ ㄴ, ㄷ ⑤ ㄱ, ㄴ, ㄷ

[21916-0123] ○ △ ×

**3** **다음은 중심 원자가 1개인 분자 (가)~(다)에 대한 자료이다.**

- W~Z는 각각 H, N, O, F 중 하나이다.
- 전기 음성도는 X가 W보다 크다.
- (가)의 모든 원자와 (나), (다)의 중심 원자는 옥텟 규칙을 만족한다.

| 분자 | (가) | (나) | (다) |
|---|---|---|---|
| 구성 원소 | W, X | W, Y, Z | X, Y, Z |
| 분자당 구성 원자 수 | 4 | 3 | 3 |

**(가)~(다)에 대한 설명으로 옳은 것만을 〈보기〉에서 있는 대로 고른 것은?**

〈 보기 〉
ㄱ. (가)는 극성 분자이다.
ㄴ. 결합각은 (나)가 (다)보다 크다.
ㄷ. 다중 결합이 있는 것은 2가지이다.

① ㄴ ② ㄷ ③ ㄱ, ㄴ
④ ㄱ, ㄷ ⑤ ㄱ, ㄴ, ㄷ

[21916-0124] ○ △ ×

**4** **그림은 기체 화합물 X 2몰과 AB 5몰을 강철 용기에 넣어 반응시켰을 때 기체 $C_2$와 $AB_2$가 생성되는 반응을 모형으로 나타낸 것이다. 반응 전 X는 나타내지 않았다.**

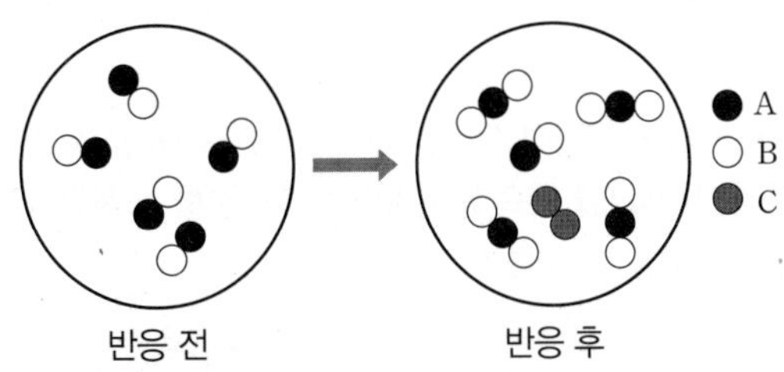


**이에 대한 설명으로 옳은 것만을 〈보기〉에서 있는 대로 고른 것은? (단, A~C는 임의의 원소 기호이다.)**

〈 보기 〉
ㄱ. X의 분자식은 $CB_2$이다.
ㄴ. X와 AB는 1 : 2의 몰 비로 반응한다.
ㄷ. 전체 기체의 밀도는 반응 후가 반응 전보다 크다.

① ㄱ ② ㄴ ③ ㄱ, ㄴ
④ ㄱ, ㄷ ⑤ ㄴ, ㄷ

[21916-0125] ○ △ ×

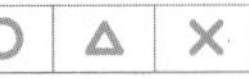

**5** **그림은 2, 3주기 바닥상태 원자 A~C의 $s$ 오비탈에 들어 있는 전자 수와 $p$ 오비탈에 들어 있는 전자 수를 나타낸 것이다. ㉠과 ㉡은 각각 $s$, $p$ 중 하나이다.**

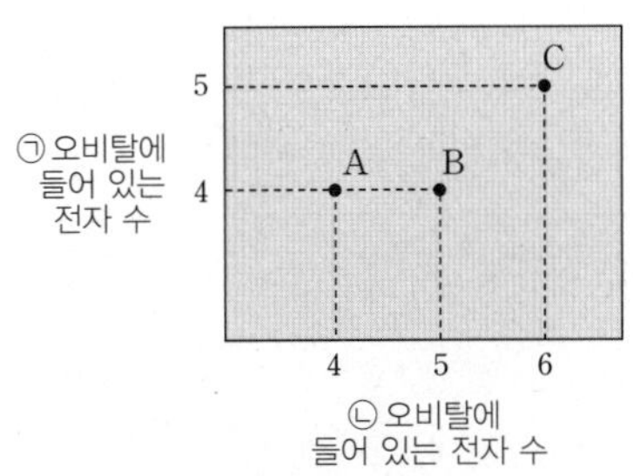


**이에 대한 설명으로 옳은 것만을 〈보기〉에서 있는 대로 고른 것은? (단, A~C는 임의의 원소 기호이다.)**

〈 보기 〉
ㄱ. ㉠은 $s$이다.
ㄴ. 전자가 들어 있는 오비탈 수는 B가 A보다 크다.
ㄷ. 홀전자 수는 C가 A보다 크다.

① ㄱ ② ㄴ ③ ㄷ
④ ㄱ, ㄴ ⑤ ㄱ, ㄷ

[21916-0126] ○ △ ×

**6** **다음은 밀도가 $d$(g/mL)인 98% 황산($H_2SO_4$)으로 0.1 M 황산 수용액 1 L를 만드는 과정이다. $H_2SO_4$의 화학식량은 98이다.**

(가) 0.1 M 황산 수용액 1 L를 만드는 데 필요한 $H_2SO_4$의 질량 $x$(g)를 구한다.
(나) 0.1 M 황산 수용액 1 L를 만드는 데 필요한 98% 황산의 질량 $y$(g)를 구한다.
(다) 0.1 M 황산 수용액 1 L를 만드는 데 필요한 98% 황산의 부피 $z$(mL)를 구한다.

**이에 대한 설명으로 옳은 것만을 〈보기〉에서 있는 대로 고른 것은? [3점]**

〈 보기 〉
ㄱ. $x$는 9.8이다.
ㄴ. $y$는 10이다.
ㄷ. $z$는 $\frac{10}{d}$이다.

① ㄱ ② ㄴ ③ ㄷ
④ ㄱ, ㄴ ⑤ ㄱ, ㄴ, ㄷ

[21916-0127] ○ △ ×

**7** 다음은 금속 M과 산소가 반응하는 화학 반응식과 이에 대한 자료이다.

> ○ 화학 반응식
> $a\text{M}+b\text{O}_2 \longrightarrow 2$ [ ㉠ ] ($a$, $b$는 반응 계수)
> ○ M의 산화수는 3 증가, O의 산화수는 2 감소한다.

**$a$ : $b$는? [3점]**

① 1 : 1　② 2 : 3　③ 3 : 2
④ 4 : 3　⑤ 4 : 5

[21916-0128] ○ △ ×

**8** 그림은 18족 원소를 제외한 2주기 원소 X~Z의 제1 이온화 에너지($E_1$), 제2 이온화 에너지($E_2$), 제3 이온화 에너지($E_3$)를 나타낸 것이다.

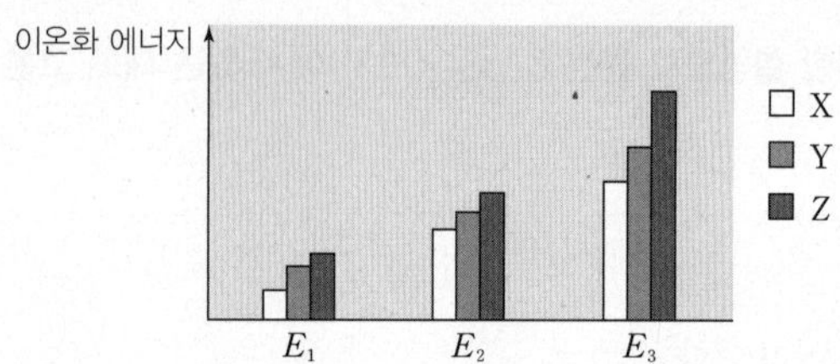


**X~Z의 원자가 전자 수의 합으로 옳은 것은? (단, X~Z는 임의의 원소 기호이다.) [3점]**

① 13　② 14　③ 15
④ 16　⑤ 17

[21916-0129] ○ △ ×

**9** 표는 기체 $A_2$와 $B_2$가 반응하여 기체 X가 생성되는 반응에서 기체 $A_2$와 기체 $B_2$의 부피를 다르게 하여 어느 한 기체가 완전히 소모될 때까지 반응시켰을 때, 생성되는 기체 X의 양(몰)과 남은 기체의 종류를 나타낸 것이다.

| 실험 | 반응물의 부피(L) | | 생성되는 X의 양(몰) | 남은 기체 |
|---|---|---|---|---|
| | $A_2$ | $B_2$ | | |
| Ⅰ | 30 | 20 | 1 | $B_2$ |
| Ⅱ | 10 | 3 | 0.2 | (가) |

**이에 대한 설명으로 옳은 것만을 〈보기〉에서 있는 대로 고른 것은? (단, A, B는 임의의 원소 기호이고, 온도와 압력은 일정하며, 실험 조건에서 기체 1몰의 부피는 30 L이다.) [3점]**

〈 보기 〉
ㄱ. (가)는 $A_2$이다.
ㄴ. X의 분자식은 $AB_2$이다.
ㄷ. 실험 Ⅰ에서 남은 기체 $B_2$의 양(몰)은 0.5몰이다.

① ㄱ　② ㄷ　③ ㄱ, ㄴ
④ ㄴ, ㄷ　⑤ ㄱ, ㄴ, ㄷ

[21916-0130] ○ △ ×

**10** 표는 같은 부피의 HCl($aq$)과 NaOH($aq$)을 혼합한 수용액에 KOH($aq$)을 계속 넣어 주었을 때, 혼합 용액의 부피에 따른 수용액 속 이온 수 비를 나타낸 것이다.

| | 혼합 용액의 부피(mL) | | |
|---|---|---|---|
| | 40 | 60 | 80 |
| 이온 수 비 | 1 : 1 : 2 : 4 | 1 : 1 : 4 : 4 | 1 : 3 : 4 : 6 |

**$\dfrac{\text{KOH}(aq)\text{의 단위 부피당 양이온 수}}{\text{HCl}(aq)\text{의 단위 부피당 양이온 수}}$는? (단, 혼합 용액의 부피는 혼합 전 각 용액의 부피의 합과 같다.) [3점]**

① $\frac{1}{6}$　② $\frac{1}{4}$　③ $\frac{1}{2}$
④ $\frac{2}{3}$　⑤ $\frac{3}{4}$

# 14회 미니모의고사

제한 시간 15분 / 배점 25점

EBS 수능특강 Q 미니모의고사 화학 I

○ 알고 맞힘 /10 △ 헷갈림 /10 ✕ 모르고 틀림 /10

[21916-0131] ○ △ ✕

**1** 그림은 3가지 분자를 주어진 기준에 따라 분류하는 과정을 나타낸 것이다.

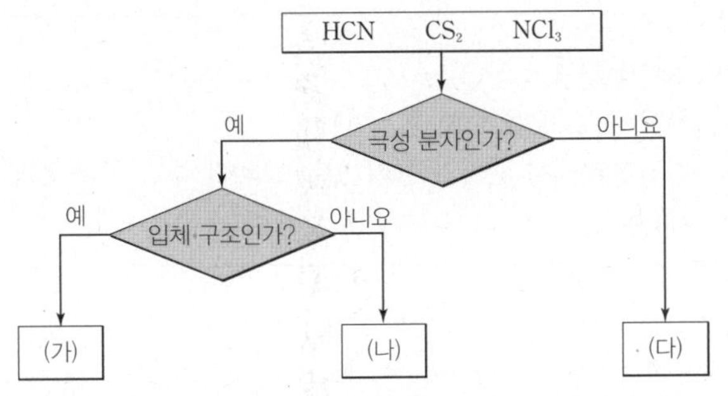


(가)~(다)에 대한 설명으로 옳은 것만을 <보기>에서 있는 대로 고른 것은?

〈 보기 〉
ㄱ. 공유 전자쌍 수는 (나)가 (가)보다 크다.
ㄴ. 결합각은 (다)가 (가)보다 크다.
ㄷ. 다중 결합이 있는 분자는 (나)와 (다)이다.

① ㄱ ② ㄷ ③ ㄱ, ㄴ
④ ㄴ, ㄷ ⑤ ㄱ, ㄴ, ㄷ

[21916-0132] ○ △ ✕

**2** 표는 원자 또는 이온 (가)~(다)의 질량수와 $\frac{\text{중성자수}}{\text{전자 수}}$를 나타낸 것이다. (가)~(다)의 양성자수는 10보다 작다.

| 원자 또는 이온 | (가) | (나) | (다) |
|---|---|---|---|
| 질량수 | 14 | 18 | 16 |
| $\frac{\text{중성자수}}{\text{전자 수}}$ | $\frac{4}{3}$ | $\frac{5}{4}$ | $\frac{4}{5}$ |

(가)~(다)에 대한 설명으로 옳은 것만을 <보기>에서 있는 대로 고른 것은?

〈 보기 〉
ㄱ. 원자는 1가지이다.
ㄴ. 중성자수는 (가)와 (다)가 같다.
ㄷ. 원자 번호는 (나)와 (다)가 같다.

① ㄱ ② ㄴ ③ ㄱ, ㄷ
④ ㄴ, ㄷ ⑤ ㄱ, ㄴ, ㄷ

[21916-0133] 

**3** 그림은 화합물 (가)와 (나)의 화학 결합 모형을 나타낸 것이다. (가)와 (나)의 화학식은 각각 $A_2B$, $C_2B$이다.

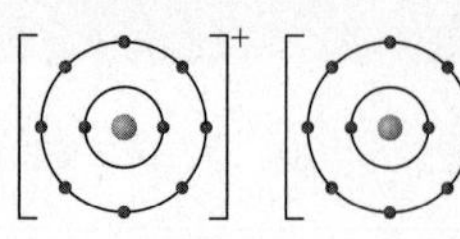
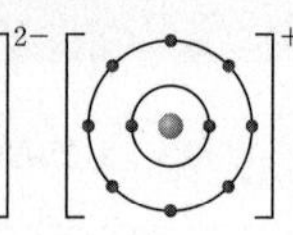

(가)

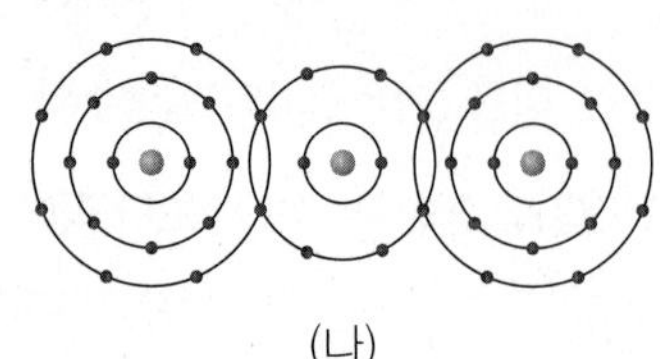

(나)

**이에 대한 설명으로 옳은 것만을 〈보기〉에서 있는 대로 고른 것은? (단, A~C는 임의의 원소 기호이다.)**

〈보기〉
ㄱ. A~C 중 원자 반지름은 A가 가장 크다.
ㄴ. 비공유 전자쌍 수는 $C_2 > B_2$이다.
ㄷ. 액체 상태의 AC는 전기 전도성이 없다.

① ㄴ ② ㄷ ③ ㄱ, ㄴ
④ ㄱ, ㄷ ⑤ ㄱ, ㄴ, ㄷ

[21916-0134] 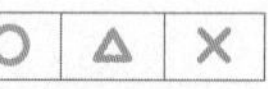

**4** 다음은 $NaHSO_3$과 관련된 3가지 반응의 화학 반응식이다.

(가) $NaHCO_3 + \underset{㉠}{\underline{S}}O_2 \longrightarrow NaHSO_3 + \underset{㉡}{\underline{C}}O_2$

(나) $2NaH\underset{㉢}{\underline{S}}O_3 + Zn \longrightarrow Na_2\underset{㉣}{\underline{S}_2}O_4 + Zn(OH)_2$

(다) $2NaHSO_3 + O_2 \longrightarrow 2NaH\underset{㉤}{\underline{S}}O_4$

**이에 대한 설명으로 옳은 것만을 〈보기〉에서 있는 대로 고른 것은?**

〈보기〉
ㄱ. 산화수는 ㉠이 ㉡보다 크다.
ㄴ. ㉢~㉤의 산화수 합은 13이다.
ㄷ. (나)의 Zn과 (다)의 $O_2$는 환원제이다.

① ㄱ ② ㄴ ③ ㄱ, ㄷ
④ ㄴ, ㄷ ⑤ ㄱ, ㄴ, ㄷ

[21916-0135]

**5** 다음은 원자 W~Z에 대한 설명이다. W~Z는 각각 B, N, F, Mg 중 하나이다.

○ 원자가 전자 수는 W가 X보다 크다.
○ 바닥상태에서 홀전자 수는 X가 Y보다 크다.
○ 바닥상태에서 전자가 들어 있는 $p$ 오비탈 수는 Y가 Z보다 크다.

**이에 대한 설명으로 옳은 것만을 〈보기〉에서 있는 대로 고른 것은?**

〈보기〉
ㄱ. X는 B이다.
ㄴ. W와 Y는 같은 주기 원소이다.
ㄷ. 바닥상태에서 전자가 들어 있는 오비탈 수는 Y가 Z의 2배이다.

① ㄱ ② ㄷ ③ ㄱ, ㄴ
④ ㄴ, ㄷ ⑤ ㄱ, ㄴ, ㄷ

[21916-0136]

**6** 그림은 원자 A~C에 대한 자료이다. A~C는 각각 O, Mg, Al 중 하나이고, A~C의 이온은 모두 Ne의 전자 배치를 가진다.

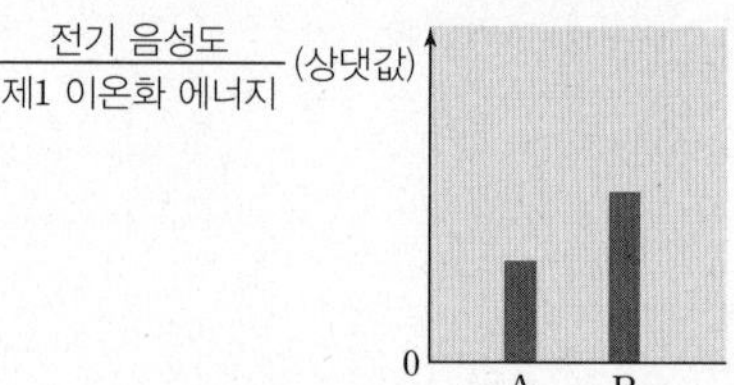


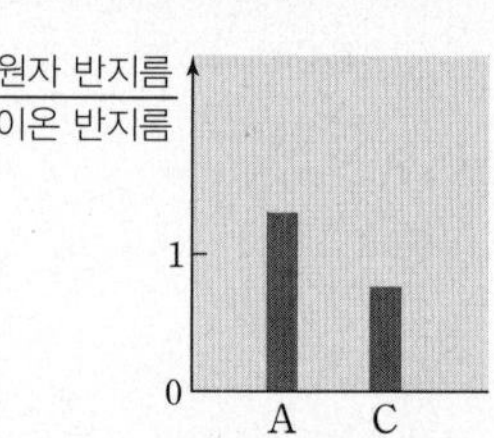


**A~C에 대한 설명으로 옳은 것만을 〈보기〉에서 있는 대로 고른 것은? [3점]**

〈보기〉
ㄱ. C는 산소(O)이다.
ㄴ. 원자 반지름은 B가 A보다 크다.
ㄷ. $\frac{\text{제3 이온화 에너지}}{\text{제2 이온화 에너지}}$는 A가 C보다 크다.

① ㄱ ② ㄴ ③ ㄱ, ㄷ
④ ㄴ, ㄷ ⑤ ㄱ, ㄴ, ㄷ

[21916-0137] ○ △ ×

**7** 다음은 $C_3H_4$이 연소하는 반응의 화학 반응식이다.

$aC_3H_4+bO_2 \longrightarrow cCO_2+dH_2O$ ($a$~$d$는 반응 계수)

$C_3H_4$ 20 g을 완전 연소시킬 때 생성되는 $CO_2$의 양(몰)을 $x$라 할 때, $\frac{c+d}{a+b}\times x$는? (단, H, C, O의 원자량은 각각 1, 12, 16이다.) [3점]

① 1 ② $\frac{3}{2}$ ③ 2
④ $\frac{5}{2}$ ⑤ 3

[21916-0138] ○ △ ×

**8** 그림 (가)는 $t$°C, 1기압에서 실린더에 $X_2Y_4(g)$ 14 g이 들어 있는 것을, (나)와 (다)는 (가)의 실린더에 각각 $XZ(g)$ 7 g, $Y_2Z(g)$ 9 g을 순서대로 넣은 것을 나타낸 것이다. 3가지 기체는 반응하지 않는다.

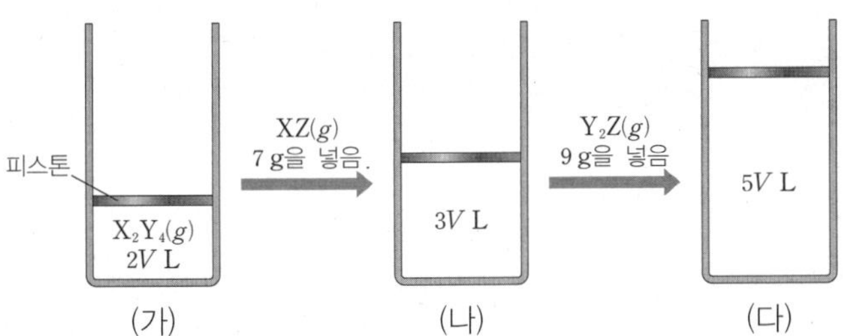


이에 대한 설명으로 옳은 것만을 〈보기〉에서 있는 대로 고른 것은? (단, 온도와 압력은 일정하고, X~Z는 임의의 원소 기호이며, 피스톤의 마찰은 무시한다.) [3점]

〈 보기 〉
ㄱ. $X_2Y_4$와 XZ는 분자량이 같다.
ㄴ. 원자량 비는 X : Z=3 : 4이다.
ㄷ. 1 g에 들어 있는 Y 원자 수 비는 $X_2Y_4$ : $Y_2Z$=9 : 7이다.

① ㄱ ② ㄴ ③ ㄱ, ㄷ
④ ㄴ, ㄷ ⑤ ㄱ, ㄴ, ㄷ

[21916-0139] ○ △ ×

**9** 표는 HCl($aq$), NaOH($aq$), KOH($aq$)의 부피를 달리하여 혼합한 용액 (가), (나)에 대한 자료이다. (가)와 (나)의 단위 부피에 존재하는 양이온 수는 같다.

| 혼합 용액 | 혼합 전 용액의 부피(mL) | | | 단위 부피당 양이온 수 비 |
|---|---|---|---|---|
| | HCl($aq$) | NaOH($aq$) | KOH($aq$) | |
| (가) | 20 | 5 | 15 | 2 : 3 : 3 |
| (나) | 40 | 20 | 20 | 1 : 3 |

이에 대한 설명으로 옳은 것만을 〈보기〉에서 있는 대로 고른 것은? (단, 혼합 용액의 부피는 혼합 전 각 용액의 부피의 합과 같다.) [3점]

〈 보기 〉
ㄱ. 단위 부피당 이온 수 비는 HCl($aq$) : KOH($aq$)=4 : 3이다.
ㄴ. (가)에 NaOH($aq$) 5 mL를 더 넣은 용액은 염기성이다.
ㄷ. 생성된 물 분자의 몰 비는 (가) : (나)=3 : 8이다.

① ㄱ ② ㄷ ③ ㄱ, ㄴ
④ ㄴ, ㄷ ⑤ ㄱ, ㄴ, ㄷ

[21916-0140] ○ △ ×

**10** 다음은 A와 B가 반응하여 C를 생성하는 반응의 화학 반응식이다.

$a$A+B ⟶ 2C ($a$는 반응 계수)

그림은 $x$몰의 A가 들어 있는 용기에 B를 넣어 반응을 완결시켰을 때, 넣어 준 B의 질량과 반응 후 남아 있는 반응물에 대한 생성물의 몰 비($\frac{n_{생성물}}{n_{반응물}}$)를 나타낸 것이다.

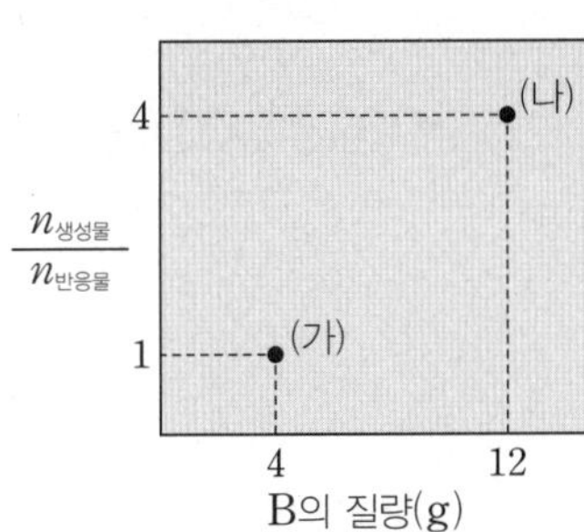


이에 대한 설명으로 옳은 것만을 〈보기〉에서 있는 대로 고른 것은? (단, $a\geq1$이다.) [3점]

〈 보기 〉
ㄱ. $a$=2이다.
ㄴ. 생성물의 양(몰)은 (나)에서가 (가)에서의 4배이다.
ㄷ. B 16 g을 넣어 반응을 완결시켰을 때 $\frac{n_{생성물}}{n_{반응물}}$=6이다.

① ㄱ ② ㄴ ③ ㄱ, ㄴ
④ ㄱ, ㄷ ⑤ ㄴ, ㄷ

MEMO

# 정답과 해설

EBS 수능특강 Q 미니모의고사 화학 I

## 01회 미니모의고사

본문 4~7쪽

| 1 ② | 2 ⑤ | 3 ④ | 4 ⑤ | 5 ④ |
|---|---|---|---|---|
| 6 ① | 7 ② | 8 ② | 9 ③ | 10 ⑤ |

### 1 브뢴스테드－로리 산과 염기

브뢴스테드－로리 산은 $H^+$을 주는 물질이고, 브뢴스테드－로리 염기는 $H^+$을 받는 물질이다.

**정답 맞히기** (가)에서 HCN는 $H_2O$에게 $H^+$을 주고 $CN^-$이 되므로 브뢴스테드－로리 산이다.

(나)에서 $CH_3COOH$은 $OH^-$에게 $H^+$을 주고 $CH_3COO^-$이 되므로 브뢴스테드－로리 산이다.

(다)에서 $H_2O$은 $CO_3^{2-}$에게 $H^+$을 주고 $OH^-$이 되므로 브뢴스테드－로리 산이다.

### 2 산화수와 산화 환원 반응의 화학 반응식

반응물과 생성물의 각 구성 원소의 원자 수는 반응 전과 후에 서로 같다는 사실을 이용하여 화학 반응식의 계수를 다음과 같이 결정할 수 있다.

$2KMnO_4+aHCl \longrightarrow bKCl+cMnCl_2+8H_2O+dCl_2$

K: $2=b$

Mn: $2=c$

H: $a=8\times2=16$

Cl: $a=b+2c+2d$, $d=5$

반응 계수를 대입하여 완성한 화학 반응식과 각 원자의 산화수는 다음과 같다.

$$2\overset{+1}{\underline{K}}\overset{+7}{\underline{Mn}}\overset{-2}{\underline{O}}_4+16\overset{+1}{\underline{H}}\overset{-1}{\underline{Cl}} \longrightarrow 2\overset{+1}{\underline{K}}\overset{-1}{\underline{Cl}}+2\overset{+2}{\underline{Mn}}\overset{-1}{\underline{Cl}}_2+8\overset{+1}{\underline{H}}_2\overset{-2}{\underline{O}}+5\overset{0}{\underline{Cl}}_2$$

**정답 맞히기** ㄱ. Mn의 산화수는 $KMnO_4$에서 $+7$이고 $MnCl_2$에서 $+2$이므로 5 감소한다.

ㄴ. Cl의 산화수는 HCl에서 $-1$, $Cl_2$에서 0으로 증가하므로 HCl는 산화된다. 따라서 HCl는 환원제이다.

ㄷ. 화학 반응식의 계수 비는 반응하고 생성되는 각 물질의 몰 비와 같다. $KMnO_4$과 $Cl_2$의 계수 비는 2 : 5이므로 $KMnO_4$ 1몰이 반응할 때 $Cl_2$ 2.5몰이 생성된다.

### 3 물의 전기 분해

물을 전기 분해하면 (＋)극과 (－)극에서 각각 산소 기체, 수소 기체가 생성되며 화학 반응식은 다음과 같다.

$2H_2O(l) \longrightarrow 2H_2(g)+O_2(g)$

따라서 (가), (나)는 각각 $O_2$, $H_2$이다.

**정답 맞히기** ㄱ. $H_2O$을 전기 분해하면 $O_2$와 $H_2$가 1 : 2의 부피 비로 생성되므로 생성된 기체의 부피 비는 (가) : (나)＝1 : 2이다.

ㄷ. $H_2O$에 전류를 흘려 주면 전기 분해가 일어나는 것으로 보아 $H_2O$이 형성될 때 전자가 관여한다는 것을 알 수 있다.

**오답피하기** ㄴ. (나)는 $H_2$이고, 구조식은 H－H이므로 (나)에는 2중 결합이 없다.

### 4 분자의 구조와 극성

(가)에서 공유 전자쌍 수가 4, 비공유 전자쌍 수가 4이고, (나)에서 공유 전자쌍 수는 2, 비공유 전자쌍 수는 8이다.

$$:\ddot{O}::C::\ddot{O}: \qquad :\ddot{\underset{..}{F}}:\ddot{\underset{..}{O}}:\ddot{\underset{..}{F}}:$$

(가) $CO_2$ (나) $OF_2$

**정답 맞히기** ㄱ. (가)의 공유 전자쌍 수는 4이고, (나)의 비공유 전자쌍 수는 8이므로 $\frac{\text{(나)의 비공유 전자쌍 수}}{\text{(가)의 공유 전자쌍 수}}=\frac{8}{4}=2$이다.

ㄴ. $CO_2$는 결합의 쌍극자 모멘트 합이 0인 무극성 분자이고, $OF_2$는 결합의 쌍극자 모멘트 합이 0보다 큰 극성 분자이다. 따라서 분자의 쌍극자 모멘트는 (나)가 (가)보다 크다.

ㄷ. $CO_2$는 C가 중심 원자인 직선형 분자이고, $OF_2$는 O가 중심 원자인 굽은 형 분자이므로 결합각은 (가)가 (나)보다 크다.

### 5 표준 용액 제조

용액의 부피(mL)와 밀도(g/mL)를 곱하여 용액의 질량(g)을 구하고, 용액의 질량(g)과 % 농도를 곱하여 용질의 질량(g)을 구한다. 용질의 질량(g)을 용질의 분자량으로 나누어 용질의 양(몰)을 구하고, 증류수를 첨가한 후 최종 용액의 부피가 정해지면 용질의 양(몰)을 용액의 부피(L)로 나누어 몰 농도를 구한다.

소량의 액체를 정확한 부피만큼 옮기는 데 사용되는 실험 기구는 피펫이고, 표시선까지 채워 일정 부피의 용액을 만드는 데 사용되는 실험 기구는 부피 플라스크이다.

**정답 맞히기** ㄱ. 밀도가 $d$ g/mL인 A 수용액 $x$ mL의 질량은 $dx$ g이고, A 수용액의 % 농도는 98%이므로 용질 A의 질량은 $dx\times\frac{98}{100}$ g이다. 그리고 0.1 M 1 L 수용액에는 용질 A가 0.1몰 들어가야 한다. 따라서 A의 분자량을 $M$이라고 할 때,

$$\frac{\text{A의 질량(g)}}{\text{A의 분자량(g/몰)}}=\frac{dx\times\frac{98}{100}\text{ g}}{M\text{ g/몰}}=0.1\text{몰이므로}$$

$M=9.8dx$이다.

ㄷ. (나)에서 증류수의 부피는 정확히 300 mL일 필요는 없다. 400 mL를 사용해도 최종적으로 (다)에서 증류수를 첨가하여 정확히 1 L를 맞추어 주면 0.1 M A 수용액이 된다.

**오답피하기** ㄴ. (나)에서 Ⅰ은 a인 피펫으로 소량의 액체를 정확한 부피만큼 옮기는 데 사용된다.

## 6 2, 3주기 원소의 전자 배치와 홀전자 수

2, 3주기 원소 중에서 홀전자 수가 가장 큰 것은 15족 원소인 질소(N)와 인(P)이다. A~C의 홀전자 수의 합이 8이 되기 위해서는 2가지 원소는 홀전자 수가 3이고, 1가지 원소는 홀전자 수가 2이어야 한다. N와 P은 각각 3개의 홀전자를 가지므로 A와 B는 15족 원소인 질소(N) 또는 인(P)이고, C는 14족 또는 16족 원소이다.
2, 3주기 14, 15, 16족 바닥상태 원자의 전자 배치와 홀전자 수, $\frac{p\text{ 오비탈의 전자 수}}{s\text{ 오비탈의 전자 수}}$는 다음과 같다.

| 원자 | 전자 배치 | 홀전자 수 | $\frac{p\text{ 오비탈의 전자 수}}{s\text{ 오비탈의 전자 수}}$ |
|---|---|---|---|
| $_6C$ | $1s^2 2s^2 2p_x^1 2p_y^1$ | 2 | $\frac{1}{2}$ |
| $_7N$ | $1s^2 2s^2 2p_x^1 2p_y^1 2p_z^1$ | 3 | $\frac{3}{4}$ |
| $_8O$ | $1s^2 2s^2 2p_x^2 2p_y^1 2p_z^1$ | 2 | 1 |
| $_{14}Si$ | $1s^2 2s^2 2p_x^2 2p_y^2 2p_z^2 3s^2 3p_x^1 3p_y^1$ | 2 | $\frac{4}{3}$ |
| $_{15}P$ | $1s^2 2s^2 2p_x^2 2p_y^2 2p_z^2 3s^2 3p_x^1 3p_y^1 3p_z^1$ | 3 | $\frac{3}{2}$ |
| $_{16}S$ | $1s^2 2s^2 2p_x^2 2p_y^2 2p_z^2 3s^2 3p_x^2 3p_y^1 3p_z^1$ | 2 | $\frac{5}{3}$ |

따라서 C는 $_{16}S$, A는 $_{15}P$, B는 $_7N$이다.

**정답 맞히기** ㄴ. 같은 주기에서 원자 번호가 증가할수록 원자가 전자가 느끼는 유효 핵전하는 커지므로 유효 핵전하는 C가 A보다 크다.

**오답피하기** ㄱ. A는 인(P)이므로 3주기 원소이다.
ㄷ. 전자가 들어 있는 오비탈의 수는 C는 9, B는 5이므로 C가 B의 2배보다 작다.

## 7 원소의 주기적 성질

Li, O, F, Na, Mg 중 금속 원소인 Li, Na, Mg은 원자 반지름 > 이온 반지름이고, 비금속 원소인 O, F은 이온 반지름 > 원자 반지름이다. (가)는 3가지 원소 A, B, C에서 (나)보다 큰 값을 갖는 것으로 보아 (가)는 원자 반지름이다. A, B, C 중 원자 반지름이 가장 큰 B는 나트륨(Na)이고, A와 C는 각각 리튬(Li)과 마그네슘(Mg) 중 하나인데, C의 이온은 전자 수가 2주기 비금속의 음이온과 같으므로 C는 마그네슘(Mg)이고, A는 리튬(Li)이다. D는 원자 반지름과 이온 반지름이 E보다 큰 것으로 보아 산소(O)이고, E는 플루오린(F)이다.

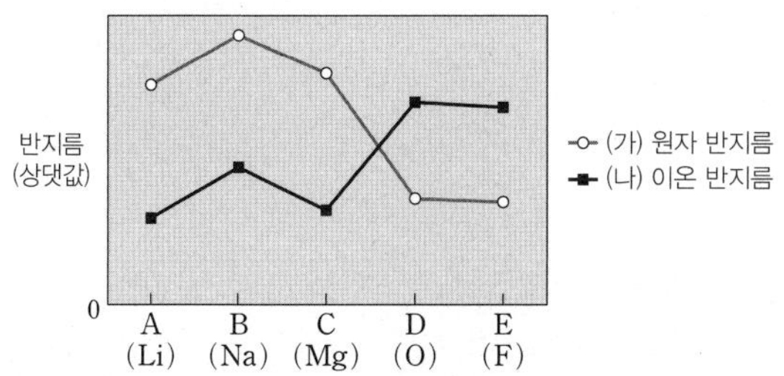


**정답 맞히기** ㄴ. A는 리튬(Li), C는 마그네슘(Mg), E는 플루오린(F)이다. A와 E의 양성자수의 합은 3+9=12이며, C의 양성자수와 같다.

**오답피하기** ㄱ. (가)는 원자 반지름, (나)는 이온 반지름에 해당된다.
ㄷ. C는 마그네슘(Mg)이고 B는 나트륨(Na)이다. B는 1족 원소이므로 제1 이온화 에너지≪제2 이온화 에너지이고, B(Na)의 제2 이온화 에너지는 C(Mg)의 제2 이온화 에너지보다 크다. 따라서 $\frac{\text{제2 이온화 에너지}}{\text{제1 이온화 에너지}}$는 B(Na)가 C(Mg)보다 크다.

## 8 기체 반응에서의 양적 관계

생성물의 분자식이 $A_2B$이므로 ●은 A이며, 화학 반응식은 다음과 같다.

$2A_2(g)+B_2(g) \longrightarrow 2A_2B(g)$

**정답 맞히기** 반응 전후 물질의 질량은 보존되므로 생성되는 $A_2B$의 질량은 반응 전 물질의 질량의 합과 같은 8.8 g이다.
기체의 부피 비는 반응 계수 비와 같으므로 생성물의 부피는 반응물의 부피의 $\frac{2}{3}$배이므로 (나)의 부피는 $7.5\text{ L}\times\frac{2}{3}=5\text{ L}$이다. 또한 기체 1몰의 부피는 25 L이므로 (나)에 들어 있는 기체의 양(몰)은 $\frac{5}{25}$몰=0.2몰이다. 기체의 양(몰)은 $\frac{\text{질량(g)}}{\text{1몰의 질량(g/몰)}}$이고, 1몰의 질량은 (분자량) g과 같다. (나)에 들어 있는 $A_2B$의 질량은 8.8 g이고, 기체의 양(몰)은 0.2몰이므로 분자량은 44이다. 따라서 $\frac{A_2B\text{의 분자량}}{V}=\frac{44}{5}$이다.

## 9 기체 반응에서의 양적 관계

온도와 압력이 일정할 때 기체의 부피는 분자 수(몰)에 비례한다. 따라서 기체 반응에서 반응 계수 비는 기체의 부피 비와 같다. 또한 일정량의 A(g)에 B(g)의 질량을 증가시키며 반응을 완결시킬 때 A(g)가 모두 반응한 이후에는 반응 후 전체 기체의 부피는 넣어준 B(g)의 질량에 비례한다. 즉, 결과에서 B(g)의 질량이 2 g 이후부터 1 g당 부피(상댓값)가 3씩 증가하므로 B(g) 1 g의 부피가 3임을 알 수 있다. 또한 B(g)의 질량 0 g일 때의 기체 부피 2는 A(g) $w$ g의 부피이다.
따라서 온도와 압력이 같으므로 기체의 부피(상댓값)를 양(몰)으로 변환하여 양적 관계를 계산하면 B의 질량이 1 g, 3 g일 때 다음과 같다.

1) B의 질량이 1 g일 때

| | $aA(g)$ | + | $bB(g)$ | $\longrightarrow$ | $2C(g)$ |
|---|---|---|---|---|---|
| 반응 전(몰) | $2n$ | | $3n$ | | 0 |
| 반응(몰) | $-\frac{3a}{b}n$ | | $-3n$ | | $+\frac{6}{b}n$ |
| 반응 후(몰) | $\left(2-\frac{3a}{b}\right)n$ | | 0 | | $\frac{6}{b}n$ |

2) B의 질량이 3 g일 때

| | $a\text{A}(g)$ | + | $b\text{B}(g)$ | $\longrightarrow$ | $2\text{C}(g)$ |
|---|---|---|---|---|---|
| 반응 전(몰) | $2n$ | | $9n$ | | 0 |
| 반응(몰) | $-2n$ | | $-\frac{2b}{a}n$ | | $+\frac{4}{a}n$ |
| 반응 후(몰) | 0 | | $\left(9-\frac{2b}{a}\right)n$ | | $\frac{4}{a}n$ |

1)과 2)에서 반응 후 전체 양(몰)이 각각 $3n$, $7n$이므로 $2-\frac{3a}{b}+\frac{6}{b}=3$, $9-\frac{2b}{a}+\frac{4}{a}=7$이 성립한다. 이를 정리하면 $3a+b=6$, $a-b=-2$가 성립한다.

**정답 맞히기** ㄱ. B의 질량이 1 g, 3 g일 때의 양적 관계로 얻은 방정식 $3a+b=6$, $a-b=-2$를 풀면 $a=1$, $b=3$이다.

ㄴ. 전체 반응식이 $\text{A}(g)+3\text{B}(g) \longrightarrow 2\text{C}(g)$이고, (가)에서 A와 B의 양(몰) (상댓값)은 각각 2, 9이므로 남은 B를 모두 반응시키기 위해 필요한 A의 양(몰) (상댓값)은 1이다. 따라서 처음 넣어 준 A의 질량의 절반인 $\frac{w}{2}$ g이 필요하다.

**오답 피하기** ㄷ. $w$ g의 A를 모두 반응시키기 위해 필요한 B의 질량은 2 g이고, 이때 생성되는 C의 질량은 $(w+2)$ g이다. 반응물과 생성물의 질량 비를 반응 계수로 나누어 주면 반응물과 생성물의 분자량 비와 같다.

따라서 $\frac{\text{A의 분자량}}{\text{C의 분자량}}=\frac{\frac{w}{1}}{\frac{w+2}{2}}=\frac{2w}{w+2}$이다.

## 10 중화 반응에서 이온 수

일정량의 $\text{HCl}(aq)$에 $\text{NaOH}(aq)$을 혼합할 때는 용액 속에 있던 $\text{H}^+(aq)$과 넣어 주는 $\text{OH}^-(aq)$이 반응하여 $\text{H}_2\text{O}(l)$로 되면서 $\text{H}^+(aq)$이 소모된 개수만큼 $\text{Na}^+(aq)$이 수용액에 남게 된다. 그러므로 중화 반응이 완결되기 전까지는 수용액의 부피가 증가하더라도 전체 이온 수의 변화는 없다. 중화 반응이 완결되어 $\text{HCl}(aq)$에 들어 있던 $\text{H}^+(aq)$이 모두 소모되면 $\text{NaOH}(aq)$을 혼합하여도 반응하지 않으므로 혼합 용액의 부피도 증가하고 용액 속의 전체 이온 수도 증가한다.

**정답 맞히기** ㄱ. $\text{NaOH}(aq)$을 전혀 넣지 않았을 때 $\text{HCl}(aq)$ 20 mL에서 단위 부피당 A 이온 수가 $9N$이므로 단위 부피를 1 mL라고 가정하면 $\text{HCl}(aq)$ 20 mL에 들어 있는 A 이온 수는 $180N$이다. 여기에 $\text{NaOH}(aq)$ 10 mL를 넣으면 혼합 용액의 전체 부피는 30 mL로 되고 단위 부피당 A 이온의 수는 $6N$이므로 전체 A 이온 수는 $180N$이다. $\text{NaOH}(aq)$을 혼합하여도 A 이온의 개수 변화가 없으므로 A 이온은 $\text{HCl}(aq)$에 들어 있는 구경꾼 이온인 $\text{Cl}^-$이다.

ㄴ. 용액 Ⅱ는 $\text{HCl}(aq)$ 20 mL에 $\text{NaOH}(aq)$ 30 mL를 혼합한 것으로 전체 A 이온 수는 $180N$이어야 하므로 $\frac{180N}{50\text{ mL}}=3.6N/\text{mL}$가 되어 $x=3.6N$이다.

ㄷ. 용액 Ⅰ은 부피가 30 mL이고 단위 부피당 B 이온 수는 $2N$이므로 전체 B 이온 수는 $60N$이다. 그런데 용액 Ⅱ는 전체 부피가 50 mL이고 단위 부피당 B 이온 수는 $3.6N$이므로 전체 B 이온 수는 $3.6N\times50=180N$이 된다. 이로부터 B 이온 수는 넣어 주는 $\text{NaOH}(aq)$의 부피에 비례함을 알 수 있어 중화 반응에 참여하는 이온이 아닌 구경꾼 이온인 $\text{Na}^+$임을 알 수 있다. 용액 Ⅱ에 $\text{NaOH}(aq)$ 10 mL를 더 넣으면 $\text{H}^+$은 남아 있지 않고 $\text{Cl}^-$ 수는 $180N$, $\text{Na}^+$ 수는 $240N$, $\text{OH}^-$ 수는 $60N$이므로 전체 이온 수는 $480N$이고, 혼합 용액의 전체 부피는 60 mL이므로 단위 부피당 전체 이온 수는 $\frac{480N}{60\text{ mL}}=8N/\text{mL}$이다.

# 02회 미니모의고사

본문 8~10쪽

| 1 ③ | 2 ① | 3 ① | 4 ② | 5 ④ |
|---|---|---|---|---|
| 6 ② | 7 ④ | 8 ⑤ | 9 ② | 10 ② |

## 1 산화 환원 반응

반응 전과 후에 존재하는 원소의 종류(H, O, S)와 개수는 같으므로 $2+2a=2b$, $2=b$, $a=c$이므로 $a=c=1$, $b=2$이다. 완성된 화학 반응식에서 산화수는 다음과 같다.

$$\underset{+1\ -1}{H_2O_2} + \underset{+1\ -2}{H_2S} \longrightarrow \underset{+1\ -2}{2H_2O} + \underset{0}{S}$$

정답 맞히기 ㄱ. $a+b+c=1+2+1=4$이다.

ㄷ. S의 산화수는 $H_2S$에서 $-2$이고, S에서 0이다. 따라서 S의 산화수는 증가하여 산화되므로 $H_2S$는 환원제이다.

오답피하기 ㄴ. O의 산화수는 $H_2O_2$에서 $-1$이고, $H_2O$에서 $-2$이다. 따라서 반응 후 O의 산화수는 감소한다.

## 2 동위 원소와 평균 원자량

평균 원자량은 동위 원소의 존재 비율을 고려하여 평균값으로 나타낸 원자량이다. X의 동위 원소는 (가)와 (나)뿐이므로 (나)의 자연계 존재 비율(%)은 $y=100-x$이다.

정답 맞히기 평균 원자량을 구하는 식으로부터

$2a\times\frac{x}{100}+(2a+1)\times\frac{(100-x)}{100}=10.8$이다.

이를 간단히 하면 $200a=980+x$가 된다. 한편 $a$는 자연수이며 $0<x<100$이므로 이를 만족하는 $a$와 $x$는 각각 $a=5$, $x=20$이다. 따라서 $a\times x=100$이다.

## 3 증발 응축 평형

물을 용기에 넣어 증발과 응축이 평형에 이르기 이전에는 증발 속도가 응축 속도보다 빠르다.

정답 맞히기 ㄱ. 용기에 물을 넣은 직후인 (가)에서는 수증기 분자가 거의 존재하지 않으므로 물의 증발 속도는 수증기의 응축 속도보다 빠르다.

오답피하기 ㄴ. (다)의 증발 응축 평형에 도달할 때까지 기체 분자 수가 계속 증가하므로 수증기의 압력은 (다)에서가 가장 크다.

ㄷ. 증발 속도는 액체의 종류와 온도에 의하여 결정되므로 액체의 종류와 온도가 같은 (가)~(다)에서 물의 증발 속도는 같다.

## 4 전자쌍 반발 원리

풍선의 매듭을 묶어 풍선이 가장 멀리 떨어져 있는 모양이 분자의 모양을 의미한다.

정답 맞히기 ㄴ. $BF_3$의 분자 모양은 평면 삼각형으로 (나)에 해당한다.

오답피하기 ㄱ. 중심 원자 주위의 전자쌍이 가능한 멀리 떨어져 있으려고 하는 전자쌍 반발 원리를 설명하기 위해 풍선을 이용한 활동을 도입하였으므로 풍선 수는 중심 원자 주위의 전자쌍 수를 의미한다.

ㄷ. 풍선이 4개이면 풍선은 같은 평면에 존재하지 못하고 그림과 같은 사면체형의 입체 구조를 갖는다.

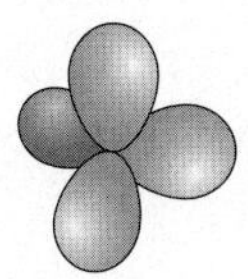

## 5 분자의 구조와 분류

$BeF_2$은 직선형 구조, $NF_3$는 삼각뿔형 구조, $CH_2O$는 평면 삼각형 구조, $CH_2Cl_2$은 사면체형 구조이다. 따라서 입체 구조인 분자는 $NF_3$, $CH_2Cl_2$이므로 A는 $CH_2Cl_2$이다. 입체 구조가 아닌 $BeF_2$, $CH_2O$ 중에서 중심 원자가 옥텟 규칙을 만족하는 분자는 $CH_2O$이므로 B는 $CH_2O$이고, C는 $BeF_2$이다.

정답 맞히기 ㄴ. B는 분자식이 $CH_2O$인 폼알데하이드로 구조식은

H
|
H−C=O이고, 2중 결합이 있다.

ㄷ. A는 $CH_2Cl_2$이고 사면체형 구조이며, C는 $BeF_2$이고 직선형 구조이다. 따라서 결합각이 180°인 C가 A보다 결합각이 크다.

오답피하기 ㄱ. $NF_3$는 중심 원자에 같은 종류의 원자가 결합되어 있는 삼각뿔형 구조로 분자 내 F−N−F의 결합각이 모두 같지만, $CH_2Cl_2$는 중심 원자에 다른 종류의 원자가 결합되어 있는 사면체형 구조로 H−C−H, H−C−Cl, Cl−C−Cl의 결합각이 서로 다르다. 따라서 (가)에 '분자 내 결합각은 모두 같은가?'를 적용할 수 없다.

## 6 전자 배치

A의 $\frac{p\text{ 오비탈의 총 전자 수}}{s\text{ 오비탈의 총 전자 수}}$의 값으로부터 A는 2주기 15족 원소임을 알 수 있다.

B와 $B^+$의 $\frac{p\text{ 오비탈의 총 전자 수}}{s\text{ 오비탈의 총 전자 수}}$의 값으로부터 B는 3주기 2족 원소임을 알 수 있다.

정답 맞히기 ㄷ. 3개의 전자를 얻은 $A^{3-}$과 2개의 전자를 잃은 $B^{2+}$은 바닥상태에서 $1s^22s^22p^6$의 전자 배치를 갖는다.

오답피하기 ㄱ. A의 $\frac{p\text{ 오비탈의 총 전자 수}}{s\text{ 오비탈의 총 전자 수}}$의 값으로부터 바닥상태 A의 전자 배치는 $1s^22s^22p^3$임을 알 수 있으므로 $A^-$은 $1s^22s^22p^4$의 전자 배치를 갖는다. 따라서 $a$는 1이지만 B의 전자 배치는 $1s^22s^22p^63s^2$이므로 $A^-$과 B의 전자 배치는 다르다.

ㄴ. A의 전자 배치는 $1s^22s^22p^3$, B의 전자 배치는 $1s^22s^22p^63s^2$이므로 A는 2주기, B는 3주기 원소이다.

## 7 원소의 주기적 성질

같은 주기에서 원자 번호가 커질수록 원자가 전자가 느끼는 유효 핵전하의 증가로 인해 원자 반지름은 작아지고, 같은 족에서 원자 번호가 커질수록 전자 껍질 수의 증가로 인해 원자 반지름은 커진다. 따라서 주기율표에서 오른쪽 위로 갈수록 원자 반지름은 작아지고, 왼쪽 아래로 갈수록 원자 반지름은 커진다.

$_8O$와 $_9F$은 2주기 원소이고, $_{11}Na$과 $_{12}Mg$은 3주기 원소이므로 원자 반지름은 $_9F < {_8O} < {_{12}Mg} < {_{11}Na}$이고 A~D는 각각 F, O, Mg, Na에 해당한다.

**정답 맞히기** 원자 A(F), B(O), C(Mg), D(Na)로부터 전자 1개씩을 떼어 내면 A~D의 +1가 이온의 전자 배치는 각각 O, N, Na, Ne과 같아진다. 3주기 1족 원소인 Na의 이온화 에너지가 가장 작고, 18족 원소인 Ne의 이온화 에너지가 가장 크며, N($1s^22s^22p_x^12p_y^12p_z^1$)와 O($1s^22s^22p_x^22p_y^12p_z^1$) 중 N의 이온화 에너지가 더 크므로 전자를 1개씩 떼어 내는 데 필요한 에너지는 Na<O<N<Ne이다. 따라서 A~D의 제2 이온화 에너지는 C(Mg)<A(F)< B(O)<D(Na)이다.

| A | B | C | D |
|---|---|---|---|
| F | O | Mg | Na |
| O | N | Na | Ne |
| 3 | 2 | 4 | 1 |

전자 1개를 떼어 내면 원자 번호 1 작은 원자와 전자 배치가 같아진다.

전자 1개를 떼어 내는 데 필요한 에너지 순서 =A~D의 제2 이온화 에너지 순서

## 8 기체의 밀도와 분자량

1 L의 질량(g)값은 밀도의 값과 같고, 1 g의 부피(L)값은 $\frac{1}{\text{밀도}}$의 값과 같다.

**정답 맞히기** ㄱ. (나) 1몰의 질량은 (분자량) g=$x$ g이므로 $t$℃, 1기압에서 기체 1몰의 부피는 (1 g의 부피)×(1몰의 질량)=$\frac{x}{w}$ L이다.

ㄴ. (가) 1몰의 질량(g)은 (1 L의 질량)×(1몰의 부피) $=16w\times\frac{x}{w}=16x$이고, (다) 1몰의 질량(g)은 $15x$이다. 따라서 1몰의 질량 비는 (가) : (다)=16 : 15이다.

ㄷ. 기체의 온도, 압력이 같을 때 1 L의 질량은 분자량에 비례하므로 (다)가 (나)의 15배이다.

## 9 산과 염기의 중화 반응

(가)의 부피를 2배한 용액을 (라)라고 하면 (라)는 HCl($aq$) 40 mL, NaOH($aq$) 40 mL, KOH($aq$) 20 mL를 혼합한 용액이고, $H^+$ 또는 $OH^-$의 수는 $2N$이다. (라)는 (나)에 NaOH($aq$) 20 mL를 더 넣은 용액이지만, $H^+$ 또는 $OH^-$의 수가 (나)와 같으므로 (나)에는 $H^+$ $2N$이 있고, (라)에는 $OH^-$ $2N$이 있는 것을 알 수 있다. NaOH($aq$) 20 mL에 들어 있는 $OH^-$의 수는 $4N$이다.

**정답 맞히기** HCl($aq$) 10 mL에 들어 있는 $H^+$의 수를 $xN$, KOH($aq$) 10 mL에 들어 있는 $K^+$의 수를 $yN$이라고 하면 (나)에 들어 있는 $H^+$의 수$=4xN-4N-2yN=2N$, $2x-y=3$ (㉠식)이다. (다)는 (라)에 KOH($aq$) 10 mL를 더 넣은 용액과 같으므로 염기성이다. (다)에 들어 있는 $OH^-$의 수$=8N+3yN-4xN=3N$, $4x-3y=5$(㉡식)이다. ㉠식과 ㉡식을 풀면 $x=2$, $y=1$이다. HCl($aq$) 10 mL에 들어 있는 $H^+$의 수는 $2N$, NaOH($aq$) 10 mL에 들어 있는 $Na^+$의 수는 $2N$, KOH($aq$) 10 mL에 들어 있는 $K^+$의 수는 $N$이다. (가)에서 $Cl^-$의 수는 $4N$, $Na^+$의 수는 $4N$, $K^+$의 수는 $N$이므로 ($Cl^-$의 수+$Na^+$의 수+$K^+$의 수)$=9N$이다.

## 10 화학 반응에서의 양적 관계

실험 Ⅰ과 Ⅱ를 비교하면 실험 Ⅱ에서 B($g$)가 모두 반응하였으므로 실험 Ⅱ에서 반응 후에는 A($g$)가 $(2-0.5a)$몰, C($g$)가 $0.5c$몰 들어 있다. 따라서 $2-0.5a+0.5c=2$이므로 $a=c$이다.

1) 실험 Ⅰ에서 A($g$)가 모두 반응하였다면, 반응 후에는 B($g$)가 $\left(1-\frac{1}{a}\right)$몰, C($g$)가 $\frac{c}{a}$몰 들어 있으므로, $1-\frac{1}{a}+\frac{c}{a}=1.5$이다. $a=c$이므로 $a=c=2$이다.

2) 실험 Ⅰ에서 B($g$)가 모두 반응하였다면, 반응 후에는 A($g$)가 $(1-a)$몰, C($g$)가 $c$몰 들어 있으므로 $1-a+c=1.5$이다. $a=c$를 대입하면 식이 성립하지 않는다. 따라서 실험 Ⅰ에서 모두 반응한 물질은 A($g$)이고, $a=c=2$이다.

**정답 맞히기** ㄴ. 생성된 기체 C의 양(몰)은 실험 Ⅰ에서 1몰, 실험 Ⅱ에서 1몰이므로 몰 비는 실험 Ⅰ : 실험 Ⅱ=1 : 1이다.

**오답피하기** ㄱ. $a+c=4$이다.

ㄷ. ㉠=3.5이다.

## 03회 미니모의고사

본문 11~14쪽

| 1 ① | 2 ③ | 3 ② | 4 ③ | 5 ⑤ |
|---|---|---|---|---|
| 6 ② | 7 ① | 8 ③ | 9 ⑤ | 10 ④ |

### 1 발열 반응과 흡열 반응

알코올의 연소는 빛과 열이 발생하는 발열 반응이고, 광합성은 빛 에너지가 화학 에너지로 전환되어 물질 내부에 저장되는 흡열 반응이다. 철의 산화 반응은 열이 발생하는 발열 반응으로 이 반응을 손난로에서 이용한다.

**정답 맞히기** 광합성 (나)는 에너지를 흡수하는 반응으로 대표적인 흡열 반응이다.

**오답피하기** 알코올의 연소 반응 (가)와 철의 산화 반응 (다)는 에너지를 방출하는 반응이다.

### 2 전기 음성도와 산화수

전기 음성도는 결합을 이룬 원자가 공유 전자쌍을 끌어당기는 능력을 상대적 수치로 나타낸 값이다. 공유 결합 물질에서 공유 전자쌍은 전기 음성도가 큰 원자 쪽으로 치우치므로 전기 음성도가 큰 원자는 전자를 얻어 산화수 부호가 (−)이고, 전기 음성도가 작은 원자는 전자를 잃어 산화수 부호가 (+)이다. X는 원자가 전자 수가 6이므로 2주기 16족 원소인 산소(O)이고, Y는 원자가 전자 수가 7이므로 2주기 17족 원소인 플루오린(F)이며, Z는 원자가 전자 수가 4이므로 2주기 14족 원소인 탄소(C)이다. 따라서 (가)는 $OF_2$이고, (나)는 $CO_2$이다.

**정답 맞히기** ㄱ. 전기 음성도는 F>O이므로 (가)에서 공유 전자쌍은 Y 원자 쪽으로 치우친다. 따라서 (가)에서 Y는 부분적인 음전하를 띤다.

ㄷ. 분자 $ZY_4$는 $CF_4$이고, 전기 음성도는 Y>Z이므로 $ZY_4$에서 Z의 산화수는 +4이다.

**오답피하기** ㄴ. (가)에서 전기 음성도는 Y>X이므로 X의 산화수는 +2이고, (나)에서 전기 음성도는 X>Z이므로 X의 산화수는 −2이다. 따라서 X의 산화수 부호는 (가)에서와 (나)에서가 서로 다르다.

### 3 이온 결합과 공유 결합

$B_2$에는 2중 결합이 있으므로 B는 원자가 전자 수가 6이다. ABC를 구성하는 이온은 $A^+$과 $BC^-$이므로 A의 원자가 전자 수는 1이고, $BC^-$을 구성하는 B의 원자가 전자 수가 6이므로 C의 원자가 전자 수는 7이다.

**정답 맞히기** ㄷ. A는 금속 원소, B와 C는 비금속 원소이므로 A와 C로 이루어진 화합물은 이온 결합 화합물이고, 액체 상태에서 전기 전도성이 있다.

**오답피하기** ㄱ. A는 3주기 1족 원소이고, B는 2주기 16족 원소이다.

ㄴ. 원자가 전자 수는 B가 6, C가 7이다.

### 4 구리의 산화 환원 반응

구리(Cu)가 산화되면 산화 구리(Ⅱ)(CuO)가 되고, 이를 다시 환원시키면 구리(Cu)가 된다. (가)와 (나)의 반응식을 완성하면 (가) $2Cu+O_2 \longrightarrow 2CuO$, (나) $2CuO+C \longrightarrow 2Cu+CO_2$이므로, ㉠은 $O_2$, ㉡은 Cu이다. (가)와 (나)의 산화수를 나타내면 다음과 같다.

(가) $2\overset{0}{Cu}+\overset{0}{O_2} \longrightarrow 2\overset{+2\,-2}{CuO}$

(나) $2\overset{+2\,-2}{CuO}+\overset{0}{C} \longrightarrow 2\overset{0}{Cu}+\overset{+4-2}{CO_2}$

**정답 맞히기** ㄱ. 반응식 (가)에서 O의 산화수는 0에서 −2로 감소하므로 $O_2$는 환원된다.

ㄷ. (가)와 (나)에서 산화수가 가장 큰 것은 (나)의 $CO_2$에서 C(+4)이고, 가장 작은 것은 (가)와 (나)의 산소 화합물에서 O(−2)이다. 따라서 산화수 중 가장 큰 값과 가장 작은 값의 차는 6이다.

**오답피하기** ㄴ. (나)에서 C의 산화수는 0에서 +4로 4만큼 증가하므로 $CO_2$ 1몰이 생성될 때 전자는 4몰 이동한다.

### 5 0.1 M 수산화 나트륨 수용액 만들기

0.1 M 수산화 나트륨 수용액 1 L 속에는 용질인 수산화 나트륨이 4.0 g 녹아 있다.

**정답 맞히기** ㄴ. 일정 부피의 특정한 몰 농도 용액을 만들 때 용액의 부피에 맞는 부피 플라스크를 사용한다.

ㄷ. (라)에서 만든 용액의 몰 농도는 0.1 M이고, 이 용액 200 mL에 녹아 있는 수산화 나트륨은 0.1 M×0.2 L=0.02몰이다. 증류수를 가해 용액의 부피를 500 mL로 하였으므로 몰 농도는 $\frac{0.02\text{몰}}{0.5\text{ L}}=0.04\text{ M}$이다.

**오답피하기** ㄱ. NaOH 4.0 g은 $\frac{4.0\text{ g}}{40\text{ g/몰}}=0.1$몰이다. NaOH 0.1몰을 물에 녹여 1 L 용액을 만들었으므로 몰 농도는 $\frac{0.1\text{몰}}{1\text{ L}}=0.1\text{ M}$이다. 따라서 $a=0.1$이다.

### 6 바닥상태 전자 배치

바닥상태 전자 배치에서 $s$ 오비탈에 들어 있는 전자 수가 4, $\frac{\text{전자가 들어 있는 }p\text{ 오비탈 수}}{\text{전자가 들어 있는 }s\text{ 오비탈 수}}$가 1인 X는 전자가 들어 있는 $s$ 오비탈 수가 2이고, 전자가 들어 있는 $p$ 오비탈 수가 2인 $1s^2 2s^2 2p^2$의 탄소($_6$C)이고, $s$ 오비탈에 들어 있는 전자 수가 6, $\frac{\text{전자가 들어 있는 } p \text{ 오비탈 수}}{\text{전자가 들어 있는 } s \text{ 오비탈 수}}$가 1과 1.5 사이인 Y는 전자가 들어 있는 $s$ 오비탈 수가 3이고, 전자가 들어 있는 $p$ 오비탈 수가 4인 $1s^2 2s^2 2p^6 3s^2 3p^1$의 알루미늄($_{13}$Al)이고, $s$ 오비탈에 들어 있는 전자 수가 8, $\frac{\text{전자가 들어 있는 } p \text{ 오비탈 수}}{\text{전자가 들어 있는 } s \text{ 오비탈 수}}$가 1.5인 Z는 전자가 들어 있는 $s$ 오비탈 수가 4이고, 전자가 들어 있는 $p$ 오비탈 수가 6인 원자로 원자 번호가 20 이하이므로 Z는 $1s^2 2s^2 2p^6 3s^2 3p^6 4s^2$의 칼슘($_{20}$Ca)이다.

**정답 맞히기** ㄷ. Y($_{13}$Al)에서는 3개의 $2p$ 오비탈과 1개의 $3p$ 오비탈에 전자가 들어 있으므로 전자가 들어 있는 $p$ 오비탈 수는 4이다.

**오답피하기** ㄱ. 홀전자 수는 X(C)가 2, Z(Ca)가 0으로, X가 Z보다 크다.

ㄴ. 전자가 들어 있는 전자 껍질 수는 X(C)가 2, Y(Al)가 3으로 같지 않다.

## 7 홀전자 수와 이온화 에너지

빗금 친 부분에 위치한 원소 중 바닥상태에서 홀전자 수가 1, 2, 3인 원소는 다음과 같다.

| 홀전자 수 | 1 | 2 | 3 |
|---|---|---|---|
| 원소 | Na, Al, F | C, O | N, P |

제1 이온화 에너지의 크기가 F>Al>Na이므로 A는 플루오린(F), B는 나트륨(Na)이고, O>C이므로 C는 산소(O)이고, N>P이므로 D는 질소(N)이다.

**정답 맞히기** ㄴ. 원자 반지름은 3주기 1족 원소인 B(Na)가 2주기 17족 원소인 A(F)보다 크다.

**오답피하기** ㄱ. A~D 중 2주기 원소는 A(F), C(O), D(N)의 3가지이다.

ㄷ. 제1 이온화 에너지는 D(N)>C(O)이고, 제2 이온화 에너지는 D(N)<C(O)이다. 따라서 $\frac{\text{제2 이온화 에너지}}{\text{제1 이온화 에너지}}$는 C(O)가 D(N)보다 크다.

## 8 화학 반응에서의 양적 관계

XY와 $Y_2$가 반응하여 $XY_2$가 생성되는 반응의 화학 반응식은 $2XY + Y_2 \longrightarrow 2XY_2$이고, 반응 전후 전체 기체의 부피 비를 이용하여 반응의 양적 관계를 구하면 다음과 같다.

[XY가 모두 반응하는 경우]

| | 2XY | + $Y_2$ | $\longrightarrow 2XY_2$ |
|---|---|---|---|
| 반응 전(몰) | $x$ | $4N-x$ | 0 |
| 반응(몰) | $-x$ | $-\frac{x}{2}$ | $+x$ |
| 반응 후(몰) | 0 | $4N-\frac{3x}{2}$ | $x$ |

[$Y_2$가 모두 반응하는 경우]

| | 2XY | + $Y_2$ | $\longrightarrow 2XY_2$ |
|---|---|---|---|
| 반응 전(몰) | $4N-x$ | $x$ | 0 |
| 반응(몰) | $-2x$ | $-x$ | $+2x$ |
| 반응 후(몰) | $4N-3x$ | 0 | $2x$ |

**정답 맞히기** ㄱ. XY가 모두 반응하는 경우라면 $4N-\frac{3x}{2}+x=3N$, $x=2N$이 되고, $Y_2$가 모두 반응하는 경우라면 $4N-3x+2x=3N$, $x=N$이 되는데, 반응 전 실린더에 들어 있는 기체의 양(몰)은 서로 다르므로 $x=N$이다. 따라서 반응 전 실린더에 들어 있는 XY는 $3N$, $Y_2$는 $N$이다.

ㄷ. 반응 후 반응하지 않고 남은 XY는 $N$, 생성된 $XY_2$는 $2N$이므로 $\frac{\text{생성된 분자의 양(몰)}}{\text{반응하지 않고 남은 분자의 양(몰)}}=2$이다.

**오답피하기** ㄴ. 반응에서 모두 반응하는 물질은 $Y_2$이고, 남은 물질은 XY이다.

## 9 화학 반응에서의 양적 관계

화학 반응식을 보면 반응물과 생성물이 모두 기체이고 반응 전 계수 합과 반응 후 계수가 같으므로 반응 전과 후에 부피 변화가 없다는 것을 알 수 있다.

**정답 맞히기** ㄱ. $X(g)$ 0.1 g이 $x$몰, $Y(g)$ 0.1 g이 $y$몰이라 하고 $V$ L에 들어 있는 분자 수를 $n$몰이라 하면, 실험 Ⅰ에서 $x+3y=n$이고, 실험 Ⅱ에서 $3x+4y=2n$이다. 이것을 연립하여 풀면 $x=\frac{2}{5}n$몰, $y=\frac{1}{5}n$몰이 되어 $X(g)$ 0.1 g은 $\frac{2}{5}n$몰, $Y(g)$ 0.1 g은 $\frac{1}{5}n$몰이다. 따라서 실험 Ⅱ에서는 $X(g)$ $\frac{6}{5}n$몰, $Y(g)$ $\frac{4}{5}n$몰이 반응한 후 $X(g)$ $\frac{2}{5}n$몰이 남는다.

ㄴ. 실험 Ⅲ에서는 반응 전 $X(g)$ $2n$몰과 $Y(g)$ $n$몰이 있었으므로 모두 $3n$몰이 되어 부피는 $3V$ L이고, 반응 후에도 분자 수 변화가 없어 부피 변화가 없으므로 부피는 $3V$ L이다.

ㄷ. 실험 Ⅰ에서는 $X(g)$ $\frac{2}{5}n$몰, $Y(g)$ $\frac{3}{5}n$몰이 있었으므로 $Y(g)$ $\frac{1}{5}n$몰, 즉 0.1 g이 남고, 실험 Ⅱ에서는 $X(g)$ $\frac{6}{5}n$몰, $Y(g)$ $\frac{4}{5}n$몰이 있었으므로 $X(g)$ $\frac{2}{5}n$몰, 즉 0.1 g이 남는다. 따라서 남은 기체의 질량 합은 0.2 g이다.

## 10 중화 반응 실험

**정답 맞히기** $OH^-$ 수=혼합 용액의 부피×단위 부피당 $OH^-$ 수이고, 그림의 (가)~(다)에서 각각 이온 수를 계산하면 다음과 같다.

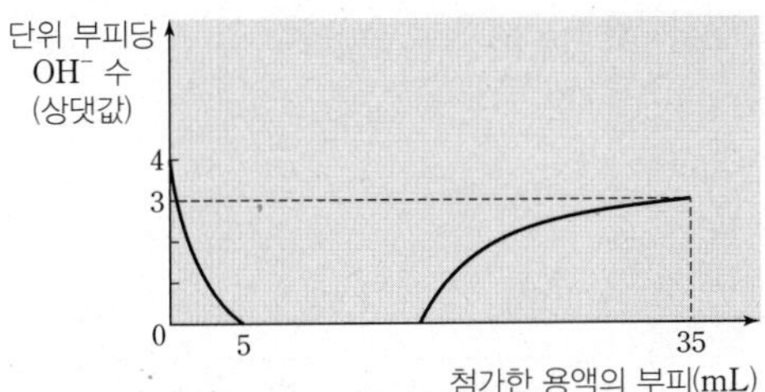


- (가)에서 A 15 mL 속 $OH^-$ 수$=15\ mL \times 4N = 60N$이다. $HCl(aq)$ 5 mL를 첨가한 용액은 중화점에 도달한 용액이므로 $HCl(aq)$ 5 mL에 들어 있는 $H^+$ 수$=60N$이다.
- (나)는 중화점에서 $HCl(aq)$이 더 첨가된 용액이므로 (나)에서 $H^+$ 수$=60N$이다.
- (다)에서 전체 부피는 15 mL+10 mL+25 mL=50 mL이므로 $OH^-$ 수$=50\ mL \times 3N = 150N$이다.

B 25 mL에 들어 있는 $OH^-$ 수$=60N+150N=210N$이다.

그러므로 A에서 단위 부피당 전체 이온 수는 $\frac{60N \times 2}{15\ mL}$이고, B에서 단위 부피당 전체 이온 수는 $\frac{210N \times 2}{25\ mL}$이다. 따라서 $\frac{\text{B에서 단위 부피당 전체 이온 수}}{\text{A에서 단위 부피당 전체 이온 수}} = \frac{21}{10}$이다.

## 04회 미니모의고사 본문 15~17쪽

| 1 ① | 2 ② | 3 ② | 4 ④ | 5 ⑤ |
|---|---|---|---|---|
| 6 ③ | 7 ① | 8 ③ | 9 ② | 10 ④ |

### 1 물의 전기 분해

물을 전기 분해하면 (−)극과 (+)극에서 수소 기체와 산소 기체가 2 : 1의 부피 비로 생성되므로 $A_2$는 $H_2$, $B_2$는 $O_2$이다.

**정답 맞히기** ㄱ. 공유 전자쌍 수는 $A_2$는 1, $B_2$는 2이다.

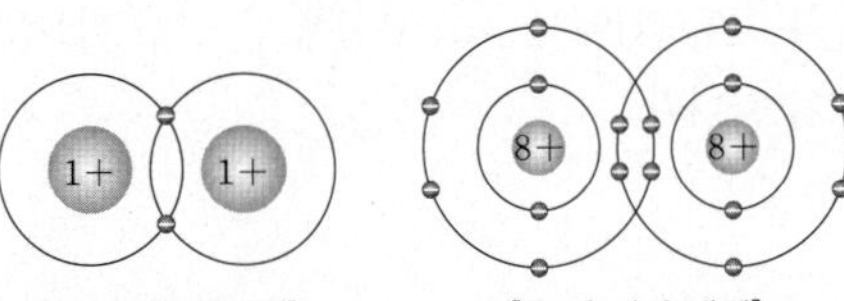


[$A_2$의 전자 배치] [$B_2$의 전자 배치]

**오답피하기** ㄴ. (−)극과 (+)극에서 생성되는 물질의 몰 비는 2 : 1이므로 질량 비는 $A_2 : B_2 = 2\times2 : 32 = 1 : 8$이다. 따라서 발생하는 기체의 질량은 $B_2$가 $A_2$보다 크다.

ㄷ. $A_2$와 $B_2$가 반응하면 다음과 같이 $A_2B$가 생성된다.

$2A_2 + B_2 \longrightarrow 2A_2B$

따라서 A는 헬륨(He)과 같은 전자 배치를 갖는다.

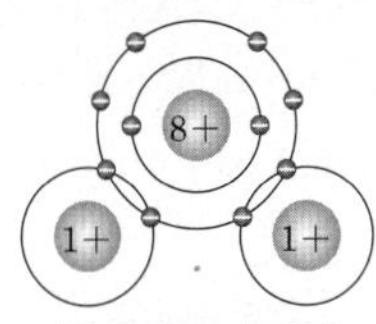


[$A_2B$의 전자 배치]

### 2 몰 농도

용액의 몰 농도(M)는 $\frac{\text{용질의 양(몰)}}{\text{용액의 부피(L)}}$이다.

**정답 맞히기** 물을 모두 증발시킨 후 남은 설탕의 질량은 $w_2 - w_1 = (522.1 - 505.0)\ g = 17.1\ g$이다. 설탕물의 몰 농도(M)는

$$\frac{\text{용질의 양(몰)}}{\text{용액의 부피(L)}} = \frac{\frac{\text{용질의 질량(g)}}{\text{용질의 분자량(g/몰)}}}{\frac{\text{용액의 부피(mL)}}{1000\ mL/L}} = \frac{\frac{17.1\ g}{342\ g/몰}}{\frac{500\ mL}{1000\ mL/L}}$$

$=0.1$ M이다.

### 3 공유 결합

W~Y가 분자 (가)~(다) 내에서 옥텟 규칙을 만족하도록 루이스 전자점식을 나타내면 다음과 같다.

:Ẍ̤=W=Ẍ̤:　　:Ÿ̤−Ẍ̤−Ÿ̤:　　Z−Ẍ̤−Z

(가)　　(나)　　(다)

W~Z는 1, 2주기 원소이므로 W는 탄소(C), X는 산소(O), Y는 플루오린(F)이며, (다)의 비공유 전자쌍 수가 2이므로 Z는 수소(H)이다.

정답 맞히기 ㄷ. 결합각은 (가)가 직선형 구조로 180°이고 (나)는 굽은 형 구조이므로 결합각이 180°보다 작다. 따라서 결합각은 (가)가 (나)보다 크다.

오답피하기 ㄱ. 분자 (가)는 $CO_2$(직선형), (나)는 $OF_2$(굽은 형), (다)는 $H_2O$(굽은 형)로 모두 직선형 구조는 아니다.
ㄴ. 전기 음성도의 크기는 Z(H)<W(C)<X(O)<Y(F)이며, 이를 고려하여 (가)~(다)에서 X(O)의 산화수를 결정할 수 있다. X(O)의 산화수는 (가)에서 −2, (나)에서 +2, (다)에서 −2이므로 모두 −2가 아니다.

## 4 이온화 에너지와 이온 반지름

A~D는 각각 O, F, Na, Mg 중 하나이며, 제1 이온화 에너지 크기 순서는 F>O>Mg>Na이고, 이온 반지름 크기 순서는 $O^{2-}>F^->Na^+>Mg^{2+}$이다.
A의 원자 번호가 C보다 크므로 A는 F, B는 Na, C는 O, D는 Mg이며, (가)는 이온 반지름, (나)는 제1 이온화 에너지이다.

정답 맞히기 ㄴ. A는 F(플루오린)이며, 모든 원소 중에서 전기 음성도가 가장 큰 원소이다.
ㄷ. 원자가 전자가 느끼는 유효 핵전하는 같은 주기에서 원자 번호가 클수록 증가한다. D는 Mg, B는 Na이므로 원자가 전자가 느끼는 유효 핵전하는 D(Mg)가 B(Na)보다 크다.

오답피하기 ㄱ. (가)는 이온 반지름이고, (나)는 제1 이온화 에너지이다.

## 5 원자의 전자 배치

(가)~(다)는 모두 2주기 원자라고 했으므로 1*s* 오비탈에 전자 2개가 있어야 하고 2*s* 오비탈에는 1~2개의 전자가 있어야 한다.

정답 맞히기 ㄱ. $w=4$, $x=0$, $y=3$, $z=0$이므로 $x=z=0$이다.
ㄴ. (가)는 원자 번호 10, (나)는 원자 번호 7이므로 원자핵의 양성자수는 (가)가 (나)보다 크다.
ㄷ. (다)에서 전자는 모두 3개이므로 전자가 들어 있는 오비탈은 1*s* 오비탈과 2*s* 오비탈 2개이다.

## 6 철광석의 산화 환원 반응

반응 전후 각 원자의 개수가 같도록 화학 반응식을 완성하면 다음과 같다.

| 화학 반응식 | $Fe_2O_3$ | + | 3CO | ⟶ | 2Fe | + | $3CO_2$ |
|---|---|---|---|---|---|---|---|
| 계수 비 | 1 | | 3 | | 2 | | 3 |
| 반응에 참여하는 물질의 몰 비 | 1 | | 3 | | 2 | | 3 |
| 생성물의 합이 2.5몰일 때 양(몰) | 0.5몰 | | 1.5몰 | | 1몰 | | 1.5몰 |

화학 반응식을 통해 각 반응물과 생성물의 양적 관계를 알 수 있다. 계수 비가 1 : 3 : 2 : 3이므로, 산화 철($Fe_2O_3$) 1몰과 일산화 탄소(CO) 3몰이 반응하면 철(Fe) 2몰과 이산화 탄소($CO_2$) 3몰이 생성된다.

정답 맞히기 생성물의 전체 양(몰)이 2.5몰이 되는 경우는 산화 철($Fe_2O_3$) 0.5몰과 일산화 탄소(CO) 1.5몰이 반응한 경우이다. 반응식에서 산화 철($Fe_2O_3$) 1몰이 반응하면 2몰의 철 이온($Fe^{3+}$)이 2몰의 철(Fe) 원자로 환원되므로 전자는 6몰이 이동한다.

$2Fe^{3+}+6e^- \longrightarrow 2Fe$

따라서 이 반응에서 산화 철($Fe_2O_3$) 0.5몰이 반응할 때 이동하는 전자는 3몰이며, 반응한 CO의 양(몰)은 1.5몰이다. 따라서 $a+d+e=3+3+1.5=7.5$이다.

## 7 원자 반지름과 유효 핵전하

원자 반지름이 Mg>Be이고, Mg>Cl이므로 원자 반지름이 가장 큰 C가 Mg이다. 원자 반지름이 Mg>Cl이고, 같은 주기에서 원자 번호가 증가할수록 원자가 전자의 유효 핵전하가 증가하여 Cl>Mg이므로 $\frac{\text{원자 반지름}}{Z^*}$은 Mg>Cl이다. 따라서 $\frac{\text{원자 반지름}}{Z^*}$이 C(Mg)보다 작은 값을 가지는 A가 Cl이다.

정답 맞히기 ㄱ. B(Be)와 C(Mg)는 모두 2족 원소이다.

오답피하기 ㄴ. 같은 주기에서 원자 번호가 증가할수록 전기 음성도가 증가하므로 전기 음성도는 A(Cl)가 C(Mg)보다 크다.
ㄷ. 18족 원소의 전자 배치를 갖는 안정한 이온은 A 이온이 $Cl^-$, B 이온이 $Be^{2+}$이다. 이온 반지름은 $Cl^->Mg^{2+}$, $Mg^{2+}>Be^{2+}$이므로 A 이온($Cl^-$)이 B 이온($Be^{2+}$)보다 이온 반지름이 크다.

## 8 원자량과 원자 1 g의 양(몰)

1 g 속에 들어 있는 원자 수는 양(몰)에 비례한다. A, B 각 1 g의 몰 비는 A : B$=\frac{1}{\text{A의 원자량}}:\frac{1}{\text{B의 원자량}}=4:3$이므로 원자량 비는 A : B$=3:4=x:a$이다. 따라서 A 원자 1몰의 질량($x$)은 $\frac{3}{4}a$ g이다.

정답 맞히기 ㄱ. A 원자 1개의 질량은 $\frac{\text{1몰의 질량}}{\text{아보가드로수}}$이다. A 원자 1몰의 질량은 (원자량) g$=\frac{3}{4}a$ g이므로 A 원자 1개의 질량은

$\frac{1몰의\ 질량}{아보가드로수}=\frac{\frac{3}{4}a\text{ g}}{N_A}=\frac{3a}{4N_A}$ g이다.

ㄴ. A의 원자량은 $\frac{3}{4}a$, B의 원자량은 $a$이므로 $BA_2$의 화학식량은 $2\times(A의\ 원자량)+(B의\ 원자량)=2\times\frac{3}{4}a+a=\frac{5}{2}a$이다.

**오답피하기** ㄷ. $CB_2$의 화학식량은 $2\times(B의\ 원자량)+(C의\ 원자량)=2\times a+2a=4a$이다. $CB_2$ $a$ g의 양(몰)은 $\frac{1}{4}$몰이므로 $a$ g 속에 들어 있는 B의 원자 수(개)는 $\frac{1}{4}\times2\times N_A=\frac{1}{2}N_A$이다.

## 9 산과 염기의 반응에서 이온 수 변화

NaOH($aq$) 20 mL를 가했을 때 반응하지 않고 남은 $OH^-$이 있다고 가정하고 그 수를 $N$개라고 하면 생성된 물 분자의 수는 $2N$개이다.

이때 20 mL의 HCl($aq$)에는 $2N$개의 $H^+$이 들어 있고, 20 mL의 NaOH($aq$)에는 $3N$개의 $OH^-$이 들어 있다고 할 수 있다. 따라서 40 mL의 NaOH($aq$)을 가했을 때는 $2N$개의 $H^+$과 $6N$개의 $OH^-$이 혼합되는 것이므로 $4N$개의 $OH^-$이 남고, $2N$개의 물 분자가 생성되어 $\frac{생성된\ 물\ 분자\ 수}{반응하지\ 않은\ H^+\ 또는\ OH^-\ 수}=\frac{1}{2}$이 되어 결과와 일치하지 않는다.

NaOH($aq$) 20 mL를 가했을 때 반응하지 않고 남은 $H^+$이 있다고 가정하고 그 수를 $N$개라고 하면 생성된 물 분자의 수는 $2N$개이다.

이때 20 mL의 HCl($aq$)에는 $3N$개의 $H^+$이 들어 있고, 20 mL의 NaOH($aq$)에는 $2N$개의 $OH^-$이 들어 있다고 할 수 있다. 따라서 40 mL의 NaOH($aq$)을 가했을 때는 $3N$개의 $H^+$과 $4N$개의 $OH^-$이 혼합되는 것이므로 $N$개의 $OH^-$이 남고, $3N$개의 물 분자가 생성되어 $\frac{생성된\ 물\ 분자\ 수}{반응하지\ 않은\ H^+\ 또는\ OH^-\ 수}=3$이라는 결과에 부합한다.

**정답 맞히기** ② 20 mL의 HCl($aq$)에는 $3N$개의 $H^+$이 들어 있고, 50 mL의 NaOH($aq$)에는 $5N$개의 $OH^-$이 들어 있으므로 두 용액을 혼합하면 $3N$개의 물 분자가 생성되고, $2N$개의 $OH^-$이 반응하지 않고 남으므로 $x=\frac{생성된\ 물\ 분자\ 수}{반응하지\ 않은\ H^+\ 또는\ OH^-\ 수}=1.5$이다.

60 mL의 NaOH($aq$)을 가하면 생성된 물 분자의 수는 $3N$개, 반응하지 않은 $OH^-$의 수는 $3N$개이므로

$y=\frac{생성된\ 물\ 분자\ 수}{반응하지\ 않은\ H^+\ 또는\ OH^-\ 수}=1$이다. 따라서 $x\times y=1.5$이다.

## 10 기체 반응에서의 양적 관계

온도와 압력이 같을 때 기체의 부피는 종류에 관계없이 양(몰)에 비례한다. 따라서 (가)와 (나)에서 반응 전 전체 부피는 두 기체의 양(몰)의 합에 비례한다.

**정답 맞히기** ㄱ. 온도와 압력이 일정하므로 (가)와 (나)에서 반응 전 두 기체의 양(몰)의 합과 전체 부피는 비례하여 $x+2:x+6=1:2$가 성립한다. 따라서 $x=2$이며, 기체 1몰의 부피는 $\frac{V}{4}$ L이다.

ㄷ. 기체의 밀도는 $\frac{질량}{부피}$이고, 질량은 반응 전과 후가 같다. 반응 후 부피는 (가) : (나)$=1:2$이고, 분자량이 B>A이므로 질량은 (나)가 (가)의 2배보다 크고, 반응 후 전체 기체의 밀도는 (나)에서가 (가)에서보다 크다.

**오답피하기** ㄴ. (가)에서의 양적 관계는 다음과 같다.

| | $A(g)$ | $+\ bB(g)$ | $\longrightarrow\ cC(g)$ | $+\ 2D(g)$ |
|---|---|---|---|---|
| 반응 전(몰) | 2 | 2 | 0 | 0 |
| 반응(몰) | $-\frac{2}{b}$ | $-2$ | $+\frac{2c}{b}$ | $+\frac{4}{b}$ |
| 반응 후(몰) | $2-\frac{2}{b}$ | 0 | $\frac{2c}{b}$ | $\frac{4}{b}$ |

(나)에서의 양적 관계는 다음과 같다.

| | $A(g)$ | $+\ bB(g)$ | $\longrightarrow\ cC(g)$ | $+\ 2D(g)$ |
|---|---|---|---|---|
| 반응 전(몰) | 2 | 6 | 0 | 0 |
| 반응(몰) | $-2$ | $-2b$ | $+2c$ | $+4$ |
| 반응 후(몰) | 0 | $6-2b$ | $2c$ | 4 |

기체 1몰의 부피가 $\frac{V}{4}$ L이므로 (가)와 (나)에서 반응 후 전체 양(몰)은 각각 5, 10이고, $2+\frac{2}{b}+\frac{2c}{b}=5$, $10-2b+2c=10$이 성립하며, 이를 풀면 $b=c=2$이다.

## 05회 미니모의고사 본문 18~20쪽

| 1 ③ | 2 ④ | 3 ② | 4 ③ | 5 ③ |
|---|---|---|---|---|
| 6 ⑤ | 7 ④ | 8 ③ | 9 ② | 10 ② |

### 1 산과 염기의 여러 가지 정의

산과 염기는 산화 환원 반응에 의하여 생성되며, 산과 염기에 대한 아레니우스 정의는 산과 염기가 수용액에서 이온화되는 것을 근거로 정의된다.

**정답 맞히기** ㄱ. (가)는 서로 다른 원소가 반응하여 화합물을 생성하는 반응으로 각 원소의 산화수가 변하므로 산화 환원 반응이다.

ㄴ. (나)에서 HCl는 물과 반응하여 $H^+$를 $H_2O$에게 주기 때문에 브뢴스테드-로리 산이다.

**오답피하기** ㄷ. 아레니우스 염기는 수용액에서 $OH^-$을 내놓는 물질로 정의된다. (다)에서 Na은 물과 반응하여 산화되고, 물 분자가 전자를 얻어 $H_2$와 $OH^-$을 생성한다. Na은 $OH^-$을 내놓는 것이 아니므로 아레니우스 염기가 아니다.

### 2 산화 환원 반응

(가)의 화학 반응식을 완성하면 다음과 같다.

(가) $Cu_2S+O_2 \longrightarrow 2Cu+SO_2$

㉠은 $SO_2$이고, (나)에 대입하면 다음과 같다.

(나) $SO_2+aH_2S \longrightarrow bH_2O+cS$

(나)에서 반응 전과 후에 존재하는 원소의 종류(S, O, H)와 개수는 같으므로 $1+a=c$, $2=b$, $2a=2b$이다. 즉 $a=b=2$이고, $c=3$이므로 계수를 대입하면 다음과 같다.

(나) $SO_2+2H_2S \longrightarrow 2H_2O+3S$

**정답 맞히기** ㄱ. (가)에서 Cu의 산화수는 $Cu_2S$에서 +1이고, Cu에서 0이므로 감소한다.

ㄷ. $a+b+c=2+2+3=7$이다.

**오답피하기** ㄴ. ㉠은 $SO_2$이고, (나)에서 S의 산화수는 $SO_2$에서 +4이고, S에서 0이다. S의 산화수는 $+4 \rightarrow 0$으로 감소하여 환원되므로 $SO_2$은 산화제이다.

### 3 분자의 극성과 물질의 용해

NaCl은 이온 결합 물질이고, $I_2$은 무극성 분자이다. 무극성 분자인 $I_2$은 극성 용매인 물($H_2O$)에는 잘 녹지 않고, 무극성 용매인 사이클로헥세인($C_6H_{12}$)에는 잘 녹는다. 따라서 X는 $I_2$이다.

**정답 맞히기** ㄴ. 무극성 공유 결합은 같은 종류의 원자 사이의 공유 결합이므로 2개의 아이오딘(I) 원자가 공유 결합하여 형성된 $I_2$에는 무극성 공유 결합이 있다.

**오답피하기** ㄱ. 무극성 분자인 $I_2$은 분자의 쌍극자 모멘트가 0이고, 극성 분자인 $H_2O$은 분자의 쌍극자 모멘트가 0이 아니므로 분자의 쌍극자 모멘트는 $H_2O$이 $I_2$보다 크다.

ㄷ. $I_2$은 공유 결합하여 형성된 분자이므로 액체 상태에서 전기 전도성이 없다.

### 4 원자와 이온의 전자 배치

(가)는 바닥상태 전자 배치일 수 없으므로 (나)와 (다)가 바닥상태 전자 배치이다. X의 들뜬상태 전자 배치 (가)는 $1s^1 2s^2 2p^5$, X의 바닥상태 전자 배치 (나)는 $1s^2 2s^2 2p^4$, $X^{2+}$의 바닥상태 전자 배치 (다)는 $1s^2 2s^2 2p^2$이다.

**정답 맞히기** ㄱ. (나)에서 2s 오비탈에 들어 있는 전자 수($a$)는 2, 2p 오비탈에 들어 있는 전자 수($b$)는 4이므로 $b=2a$이다.

ㄴ. (나)와 (다)의 홀전자 수는 2로 같다.

**오답피하기** ㄷ. X의 들뜬상태 전자 배치 (가)에서는 1s 오비탈, 2s 오비탈, 3개의 2p 오비탈에 전자가 들어 있고, $X^{2+}$의 바닥상태 전자 배치 (다)에서는 1s 오비탈, 2s 오비탈, 2개의 2p 오비탈에 전자가 들어 있다. 따라서 전자가 들어 있는 오비탈 수는 (가)가 (다)보다 1 크다.

### 5 분자의 분류

4가지 분자 HCN, $CH_2O$, $OF_2$, $CF_4$의 루이스 구조식은 다음과 같다.

H−C≡N: , H−C(=O:)−H , :F̤−Ö−F̤: , :F̤−C(−F:)(−F:)−F̤:

분자 구조가 HCN는 직선형, $CH_2O$는 평면 삼각형, $OF_2$는 굽은 형, $CF_4$는 정사면체형이다.

**정답 맞히기** ㄱ. HCN에는 3중 결합이, $CH_2O$에는 2중 결합이 1개씩 있고, $OF_2$와 $CF_4$에는 다중 결합이 없으므로 (가)에는 '다중 결합이 있는가?'를 적용할 수 있다.

ㄷ. 공유 전자쌍 수가 HCN, $CH_2O$, $CF_4$는 각각 4이고, $OF_2$는 2이다. 따라서 ㉢에 해당되는 분자는 HCN, $CH_2O$, $CF_4$이고, ㉣에 해당되는 분자는 $OF_2$이며 $OF_2$의 분자 구조는 굽은 형이다.

**오답피하기** ㄴ. HCN, $CH_2O$, $OF_2$는 극성 분자이고, $CF_4$는 무극성 분자이므로 ㉠에 해당되는 분자는 HCN, $CH_2O$, $OF_2$이다. 따라서 ㉠과 ㉢에 공통으로 해당되는 분자는 HCN, $CH_2O$ 2가지이다.

### 6 기체 발생 반응에서의 양적 관계

$CaCO_3$을 묽은 염산에 넣었을 때 일어나는 반응의 화학 반응식은 다음과 같다.

$CaCO_3 + 2HCl \longrightarrow CaCl_2 + H_2O + CO_2$

화학 반응식에서 반응 계수 비는 반응물과 생성물의 반응 몰 비와 같다. 따라서 $CaCO_3$ 1몰이 모두 반응하였을 때 발생하는 $CO_2$ 기체는 1몰이다. 발생한 $CO_2$ 기체의 양(몰)을 구하면 반응한 $CaCO_3$의 양(몰)을 알 수 있으므로 $CaCO_3$의 양(몰)과 질량으로부터 $CaCO_3$의 화학식량을 구할 수 있다. C, O의 원자량으로부터 Ca의 원자량도 구할 수 있다.

**정답 맞히기** ㄱ. 반응 계수 $a=2$, $b=1$, $c=1$이므로 $a=b+c$ 이다.

ㄴ. $CaCO_3$ $w$ g이 모두 반응하였을 때 생성된 $CO_2$는 0.88 g이다. $CO_2$의 분자량이 44이므로 생성된 $CO_2$는 0.02몰이다.

ㄷ. 반응 계수 비가 $CaCO_3 : CO_2 = 1 : 1$이므로 반응 몰 비도 $CaCO_3 : CO_2 = 1 : 1$이다. 생성된 $CO_2$가 0.02몰이므로 반응한 $CaCO_3$ $w$ g도 0.02몰이다.

따라서 $CaCO_3$의 화학식량은 $\frac{w}{0.02} = 50w$이다.

Ca의 원자량을 $x$라고 하면 $CaCO_3$의 화학식량 $50w = (x+12+48)$이므로 $x=(50w-60)$이다.

## 7 진한 염산의 희석

퍼센트 농도와 밀도로부터 진한 염산의 몰 농도를 계산할 수 있다.

**정답 맞히기** ④ $a$% 진한 염산은 수용액 100 g에 HCl $a$ g이 포함되어 있다. 진한 염산의 밀도가 $d$ g/mL이므로 수용액 100 g의 부피는 $\frac{100}{d}$ mL이다. HCl의 분자량은 36.5이고, 진한 염산의 몰 농도는

$$\text{몰 농도} = \frac{\text{용질의 양(몰)}}{\text{용액의 부피(L)}} = \frac{\frac{a}{36.5}}{\frac{100}{d} \times \frac{1}{1000}} = \frac{10ad}{36.5}\text{(M)이다.}$$

0.1 M 염산 100 mL를 만들기 위해서는 0.01몰의 HCl이 필요하다. 진한 염산 1 L에는 HCl $\frac{10ad}{36.5}$몰이 녹아 있으므로 HCl 0.01몰을 포함한 진한 염산의 부피는 다음과 같이 쓸 수 있다.

$\frac{10ad}{36.5}$(몰) : 1000(mL) = 0.01(몰) : $x$(mL)

$x = \frac{36.5}{ad}$(mL)이다.

## 8 원소의 주기적 성질

마그네슘(Mg)의 원자 반지름이 마그네슘 이온($Mg^{2+}$)의 반지름보다 크므로 (가)는 이온 반지름, (나)는 원자 반지름이다. 원자 번호 8, 9, 11, 12인 원자(O, F, Na, Mg)의 원자 반지름은 Na>Mg>O>F이고, Ne의 전자 배치를 갖는 이온 반지름은 $O^{2-} > F^- > Na^+ > Mg^{2+}$이다. 따라서 X는 산소(O), Y는 플루오린(F), Z는 나트륨(Na)이다.

**정답 맞히기** ㄱ. (가)는 이온 반지름이다.

ㄷ. X~Z 중 제1 이온화 에너지는 Z(Na)가 가장 작다.

**오답피하기** ㄴ. X는 O(산소)이므로 Ne의 전자 배치를 하는 X의 이온은 $X^{2-}$($O^{2-}$)이다.

## 9 중화 반응과 이온 수 변화

HA 수용액 10 mL에 들어 있는 $A^-$의 수를 $2N$이라 하면 $H^+$의 수도 $2N$이다. 혼합 용액 (나)에 존재하는 음이온의 몰 비가 1 : 2이므로 2종류의 음이온이 존재한다. 또한 양이온의 몰 비가 (가) : (나)=1 : 3이므로 NaOH 수용액 20 mL에 들어 있는 $OH^-$과 $Na^+$의 수는 각각 $6N$씩이다. (다)에서 ●는 $B^-$이므로 20 mL HB 수용액 속에 들어 있는 $B^-$과 $H^+$의 수는 각각 $5N$씩이다.

혼합 용액 (가)~(다)에 들어 있는 이온의 종류와 수를 상대적으로 나타내면 다음과 같다.

| 혼합 용액 | | (가) | | (나) | | (다) | |
|---|---|---|---|---|---|---|---|
| HA ($aq$) | $H^+$ | 10 mL | $2N$ | 10 mL | $2N$ | 10 mL | $2N$ |
| | $A^-$ | | $2N$ | | $2N$ | | $2N$ |
| NaOH ($aq$) | $Na^+$ | | | 20 mL | $6N$ | 20 mL | $6N$ |
| | $OH^-$ | | | | $6N$ | | $6N$ |
| HB ($aq$) | $H^+$ | | | | | 20 mL | $5N$ |
| | $B^-$ | | | | | | $5N$ |
| 음이온의 종류와 수 (상댓값) | | $A^-$ $2N$ | | $A^-$ $2N$, $OH^-$ $4N$ | | $A^-$ $2N$, $B^-$ $5N$ | |
| 양이온의 종류와 수 (상댓값) | | $H^+$ $2N$ | | $Na^+$ $6N$ | | $H^+$ $N$, $Na^+$ $6N$ | |

**정답 맞히기** ㄴ. (가)에서 용액 10 mL에 존재하는 $H^+$이 $2N$이고, (나)에서 혼합 용액 30 mL에 존재하는 $Na^+$이 $6N$이므로 단위 부피당 양이온 수는 (가)와 (나)가 같다.

**오답피하기** ㄱ. HA($aq$) 10 mL에 들어 있는 전체 이온 수는 $4N$이고, HB($aq$) 20 mL에 들어 있는 전체 이온 수는 $10N$이므로 단위 부피당 총 이온 수 비는 HA($aq$) : HB($aq$)=4 : 5이다.

ㄷ. 혼합 용액 (다)에 존재하는 $H^+$의 수가 $N$이고, NaOH($aq$) 5 mL에 존재하는 $OH^-$이 $1.5N$이므로 (다)에 NaOH($aq$) 5 mL를 넣으면 혼합 용액의 액성은 염기성이 된다.

## 10 화학 반응에서의 양적 관계

$2A(g) + B(g) \longrightarrow cC(g)$에서 A와 B의 계수 비=반응하는 부피 비=반응하는 몰 비=2 : 1이다. 실험 Ⅰ에서 A 10 L가 모두 반응했으므로 B는 5 L 반응했고 0.2몰이 남았다. 기체 1몰의 부피가 25 L이므로 반응한 A는 0.4몰이고 반응 전 B의 부피를 $b$ L라고 하면 B는 $\left(b \times \frac{1}{25}\right)$몰이다.

**정답 맞히기** 실험 Ⅰ에서 반응 전과 후의 양적 관계는 다음과 같다.

| | $2A(g)$ | + $B(g)$ | $\longrightarrow$ $cC(g)$ |
|---|---|---|---|
| 반응 전(몰) | 0.4 | $b \times \frac{1}{25}$ | 0 |
| 반응(몰) | $-0.4$ | $-0.2$ | $+5c \times \frac{1}{25}$ |
| 반응 후(몰) | 0 | $\frac{b}{25} - 0.2$ | $\frac{c}{5}$ |

$\frac{b}{25}-0.2=0.2$이므로 $b=10(\text{L})$이고, 전체 기체의 부피는 $b-5+5c=15$이므로 $c=2$이다.

실험 Ⅱ에서 반응 전 A의 부피를 $a$ L라고 하면 반응 전과 후의 양적 관계는 다음과 같다.

| | $2A(g)$ | $+$ $B(g)$ | $\longrightarrow$ $2C(g)$ |
|---|---|---|---|
| 반응 전(몰) | $a\times\frac{1}{25}$ | 0.2 | 0 |
| 반응(몰) | $-0.4$ | $-0.2$ | $+0.4$ |
| 반응 후(몰) | $\frac{a}{25}-0.4$ | 0 | 0.4 |

전체 기체의 부피가 16 L이므로 전체 양(몰)은 $\frac{16}{25}$몰이 되어 $\frac{a}{25}-0.4+0.4=\frac{16}{25}$에서 $a=16$이다. 따라서 남아 있는 A의 양(몰)은 $\frac{6}{25}$몰이다.

## 06회 미니모의고사

본문 21~23쪽

| 1 ② | 2 ④ | 3 ③ | 4 ① | 5 ③ |
|---|---|---|---|---|
| 6 ⑤ | 7 ③ | 8 ⑤ | 9 ① | 10 ① |

### 1 화학 결합

화합물 $A_2B$에서 $A^+$의 전자 수는 10, 전하는 $+1$이므로 A는 양성자수가 11인 나트륨(Na)이고, $B^{2-}$의 전자 수는 10, 전하는 $-2$이므로 B는 양성자수가 8인 산소(O)이다. 화합물 CD에서 C와 D는 공유 결합을 하고 있으며, C는 1주기 1족 원소인 수소(H)이고, D는 2주기 17족 원소인 플루오린(F)이다.

**정답 맞히기** ㄴ. $C_2B$는 $H_2O$이고, 루이스 전자점식은 $H:\ddot{\underset{..}{O}}:H$이다. 따라서 비공유 전자쌍 수는 2이다.

**오답피하기** ㄱ. 화합물 AD는 금속 원소인 Na과 비금속 원소인 F의 이온 결합으로 형성된 이온 결합 물질이다.

ㄷ. $BD_2$는 $OF_2$이고, $OF_2$에서 전기 음성도는 F이 O보다 크므로 F의 산화수는 $-1$이고, O의 산화수는 $+2$이다.

### 2 동위 원소

X의 평균 원자량이 35.5이므로 다음 관계식이 성립한다.

$$\frac{35.0\times x+37.0\times(100-x)}{100}=35.5$$

$2x=150$이므로 $x=75$이다.

**정답 맞히기** ㄴ. 동위 원소는 양성자수가 같고 중성자수가 다른 원소로 중성자수가 큰 동위 원소의 원자량이 더 크다. 따라서 질량수는 (가)가 (나)보다 작다.

ㄷ. (가)의 존재 비율이 $x=75$이므로 (나)의 존재 비율은 $y=25$이며 $\frac{x}{y}=3$이다.

**오답피하기** ㄱ. (가)와 (나)는 동위 원소이므로 양성자수가 서로 같다.

### 3 바닥상태 전자 배치와 홀전자 수

바닥상태 원자 A~C의 홀전자가 들어 있는 오비탈과 전자가 들어 있는 오비탈의 총수로부터 A~C의 전자 배치는 다음과 같음을 알 수 있다.

A: $1s^1$

B: $1s^2\,2s^2\,2p_x^1\,2p_y^1$

C: $1s^2\,2s^2\,2p^6\,3s^2\,3p^1$

**정답 맞히기** ③ C는 전자 껍질에 대한 전자 배치가 K(2)L(8)M(3)이므로 원자가 전자 수는 3이다.

**오답피하기** ① A는 전자 배치가 $1s^1$으로 전자가 1개이므로 원자 번호는 1이다.

② B의 전자 배치는 $1s^2\,2s^2\,2p_x^1\,2p_y^1$이므로 홀전자 수는 2이다.

④ A는 원자 번호 1이며 비금속 원소인 수소(H), B는 원자 번호 6이며 비금속 원소인 탄소(C)이다. 따라서 A(H)와 B(C)는 공유 결합 물질을 형성한다.
⑤ A는 수소(H), C는 원자 번호 13인 알루미늄(Al)이다. 따라서 비금속 원소인 A(H)와 금속 원소인 C(Al)는 결합하여 이온 결합 화합물인 $CA_3(AlH_3)$를 형성한다.

## 4 분자의 구조와 성질

분자의 쌍극자 모멘트는 무극성 분자인 $BF_3$가 0이고, 극성 분자인 $NH_3$, $H_2O$, HCN는 0보다 크다. 결합각은 HCN가 180°, $BF_3$가 120°, $NH_3$가 107°, $H_2O$이 104.5°이다. 중심 원자의 비공유 전자쌍 수는 HCN와 $BF_3$가 0, $NH_3$가 1, $H_2O$이 2이다. 따라서 (가)~(라)는 각각 $BF_3$, HCN, $H_2O$, $NH_3$이다.

**정답 맞히기** ㄱ. (가)와 (나)는 중심 원자에 비공유 전자쌍이 없다.
**오답피하기** ㄴ. 구성 원자 수는 (가)와 (라)가 4로 같다.
ㄷ. 결합각은 (라)가 (다)보다 크다.

## 5 산화 환원 반응식

Cu의 산화수 변화는 0에서 +2이고, N의 산화수 변화는 +5에서 변화 없는 것도 있고, +2로 변한 것도 있다. 반응 전과 후의 원자 수 변화를 같게 하면 화학 반응식은 다음과 같다.
$3Cu+8HNO_3 \longrightarrow 3Cu(NO_3)_2+2NO+4H_2O$

**정답 맞히기** ㄱ. Cu의 산화수는 0에서 +2로 증가하므로 2 증가한다.
ㄴ. 반응 전과 후에 O는 자신보다 작은 전기 음성도를 갖는 원소와 결합된 상태로 존재하므로, 산화수는 −2로 변화가 없다.
**오답피하기** ㄷ. 화학 반응식에서 $H_2O$의 계수가 4이므로 Cu 3몰이 반응할 때 4몰의 $H_2O$이 생성된다.

## 6 이온화 에너지 비교

원자 번호 5~8인 원소는 B, C, N, O이고 제1 이온화 에너지는 N>O>C>B이므로 W는 붕소(B), X는 탄소(C), Y는 산소(O), Z는 질소(N)이다.

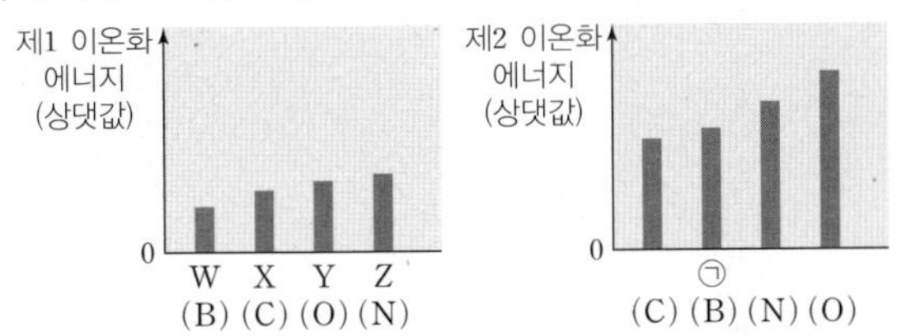


**정답 맞히기** ㄱ. 제2 이온화 에너지는 O>N>B>C이므로 ㉠은 W(B)이다.
ㄴ. 원자 반지름은 W(B)가 X(C)보다 크다.
ㄷ. 전기 음성도는 Y(O)가 Z(N)보다 크다.

## 7 기체 반응에서의 양적 관계

반응하거나 생성되는 물질의 몰 비는 반응 계수 비와 같다.

**정답 맞히기** ㄱ. 반응 전후 물질의 질량은 보존되므로, 반응 전후 원자의 종류와 수는 같다. 반응물과 생성물의 원자의 수를 맞추면 X는 $CO_2$이다.
ㄷ. (가)에서 $C_2H_2$ 0.1몰을 반응시키면 $CO_2$ 0.2몰과 $H_2O$ 0.1몰이 생성되고, (나)에서 $CO_2$ 0.2몰이 반응하면 $H_2O$ 0.2몰이 생성된다. 따라서 (가)와 (나)에서 생성된 $H_2O$의 총 양(몰)은 0.3몰이다.
**오답피하기** ㄴ. (가)에서 $C_2H_2(g)$과 $CO_2(g)$의 계수 비는 1 : 2이므로 반응 몰 비도 1 : 2이다. 또한 (나)에서 $CO_2(g)$와 $CaCO_3(s)$의 계수 비는 1 : 1이므로 반응한 $CO_2(g)$의 양(몰)과 생성된 $CaCO_3(s)$의 양(몰)은 같다.
(가) $2C_2H_2(g)+5O_2(g) \longrightarrow 4CO_2(g)+2H_2O(l)$
(나) $CO_2(g)+Ca(OH)_2(aq) \longrightarrow CaCO_3(s)+H_2O(l)$
$C_2H_2$ 0.1몰을 반응시키면 $CO_2$ 0.2몰이 생성되므로 (나)에서 생성되는 $CaCO_3(s)$의 양(몰)은 0.2몰이다. $CaCO_3(s)$의 화학식량이 100이므로 생성된 $CaCO_3(s)$의 질량은 20 g이다.

## 8 화학식량과 몰

(가)와 (나)는 같은 온도, 같은 압력, 같은 부피이므로 용기 속에 들어 있는 기체 분자 수는 서로 같고 기체의 질량 비는 분자량 비와 같다.

**정답 맞히기** $AB_2$와 $A_2C_4$의 질량 비가 2.2 : 5.0=22 : 50이므로 분자량 비도 22 : 50이다. 따라서 1 g에 들어 있는 분자 수의 비 $(AB_2 : A_2C_4)$는 $\frac{1}{22} : \frac{1}{50}=25 : 11$이며,
$\frac{A_2C_4\ 1\text{ g에 포함된 A 원자 수}}{AB_2\ 1\text{ g에 포함된 A 원자 수}}=\frac{11\times2}{25}=\frac{22}{25}$이다.

## 9 중화 반응의 양적 관계

(가)는 산성이며, (다)에서도 물 분자가 생성된 것으로 보아 (나)도 산성이다. (나)에서 물 분자 수가 $4N$ 생성되었고, 여전히 (나)는 산성이므로 NaOH 5 mL에는 $Na^+$과 $OH^-$이 $4N$씩 들어 있음을 알 수 있다.
(가)에 들어 있던 $H^+$과 $Cl^-$ 수를 각각 $x$라고 하면 (나)에 들어 있는 $H^+$ 수는 $x-4N$, $Cl^-$ 수는 $x$, $Na^+$ 수는 $4N$이다.
(나)의 $\frac{H^+\text{ 또는 }OH^-\text{ 수}}{\text{전체 이온 수}}=\frac{1}{6}$이므로 $\frac{x-4N}{x-4N+x+4N}=\frac{1}{6}$이 되어 $x=6N$이다. 따라서 (가)는 HCl 10 mL에 $H^+$과 $Cl^-$이 $6N$씩 들어 있는 용액이다.
(다)에서 물 분자가 $2N$ 생성되었으므로 KOH 15 mL에는 $OH^-$이 최소 $2N$ 이상 들어 있다. KOH 15 mL에 들어 있는 $K^+$ 수를 $y$, $OH^-$ 수를 $y$라고 하면, (다)에 존재하는 이온은 $Cl^-$ $6N$, $Na^+$ $4N$, $K^+$ $y$, $OH^-$ $y-2N$이다.

(다)의 $\frac{\text{H}^+ \text{ 또는 OH}^- \text{ 수}}{\text{전체 이온 수}}=\frac{1}{14}$이므로 $\frac{y-2N}{6N+4N+y+y-2N}=\frac{1}{14}$이 되어 $y=3N$이다.

이를 정리하면 HCl($aq$) 10 mL에는 $H^+$과 $Cl^-$이 각각 $6N$, NaOH($aq$) 5 mL에는 $Na^+$과 $OH^-$이 각각 $4N$, KOH($aq$) 15 mL에는 $K^+$과 $OH^-$이 각각 $3N$ 들어 있다.

| | (가) | (나) | (다) |
|---|---|---|---|
| $H^+$ 수 | $6N$ | ~~$6N$~~ $2N$ | ~~$2N$~~ |
| $Cl^-$ 수 | $6N$ | $6N$ | $6N$ |
| $Na^+$ 수 | | $4N$ | $4N$ |
| $OH^-$ 수 | | ~~$4N$~~ | ~~$3N$~~ $N$ |
| $K^+$ 수 | | | $3N$ |
| 액성 | 산성 | 산성 | 염기성 |

**정답 맞히기** ㄴ. (다)에 가장 많이 존재하는 이온은 $Cl^-$이다.

**오답피하기** ㄱ. (다)에서 물 분자가 생긴 것으로 보아 (나)에서 아직 $H^+$이 모두 없어지지 않았음을 알 수 있다. 따라서 (나)는 산성이다.

ㄷ. NaOH($aq$)은 5 mL에 $8N$의 이온이, KOH($aq$)은 15 mL에 $6N$의 이온이 존재하므로 단위 부피당 이온 수 비는 $\frac{8}{5}:\frac{6}{15}=4:1$이다.

## 10 기체 반응에서의 양적 관계

온도와 압력이 같을 때 기체의 부피는 물질의 양(몰)에 비례한다. 또한 화학 반응에서 반응물과 생성물 사이의 질량 비는 일정하게 유지된다.

실험 (가)와 (나)에서 남은 기체의 질량이 각각 4 g, 7 g이고, (가)와 (나)에서 남는 기체가 모두 A이면 반응 질량 비가 각각 8 : 14, 1 : 21로 서로 다르다. 또한 (가)와 (나)에서 남는 기체가 모두 B이면 반응 질량 비가 각각 12 : 10, 8 : 14로 서로 다르다. 따라서 (가)와 (나)에서 A($g$)와 B($g$)의 질량 비가 같아지기 위해서는 (가)와 (나)에서 남은 기체는 각각 A, B이다. 이때 실험 (가)에서 A($g$) 8 g과 B($g$) 14 g이 반응하여 C($g$) 22 g이 생성되고, A($g$) 4 g이 남는데, A($g$)와 C($g$)의 계수 비가 1 : 2이므로 실험 조건에서 A($g$) 4 g의 부피를 $V$ L라 하면, 반응한 A의 부피는 $2V$ L이고, 생성된 C($g$)의 부피는 $4V$ L이다. 따라서 전체 기체의 부피 $5V=15$이므로 $V=3$이다.

**정답 맞히기** (가)와 (나)에서 반응한 A($g$)와 B($g$)의 질량은 같으므로 생성된 C($g$)의 질량 및 부피도 같다. 이때 생성된 C($g$)의 부피는 12 L이므로 (가)와 (나)에서 A($g$) 4 g과 B($g$) 7 g의 부피는 각각 3 L, 6 L이다. 실험 조건에서 기체 1몰의 부피가 24 L이므로 A($g$) 4 g과 B($g$) 7 g의 양(몰)은 각각 $\frac{1}{8}$몰, $\frac{1}{4}$몰이며, A와 B의 분자량은 각각 32, 28이다. 또한 부피 비는 1 : 2이므로 $b=2$이다.

따라서 (다)에서 반응 전 A의 양(몰)을 $a\left(=\frac{x}{32}\right)$몰이라 하면, 반응 후 전체 기체의 양(몰)은 $\frac{9}{8}$몰이므로 B 1몰이 모두 반응하여 1몰의 C가 생성되고, A는 $\frac{1}{8}$몰이 남아야 하므로 $a=\frac{5}{8}$이다.

따라서 (다)에서 반응 전 A의 질량 $x=\frac{5}{8}\times32=20$이므로 $\frac{\text{B의 분자량}}{x}=\frac{28}{20}=\frac{7}{5}$이다.

| 실험 | 반응 전 | | 반응 후 | |
|---|---|---|---|---|
| | A의 질량(g) | B의 질량(g) | 남은 기체의 질량(g) | 전체 기체의 부피(L) |
| (가) | 12 | 14 | A, 4 | 15 |
| (나) | 8 | 21 | B, 7 | 18 |
| (다) | 20 | 28 | A, 4 | 27 |

## 07회 미니모의고사

본문 24~26쪽

| 1 ③ | 2 ③ | 3 ① | 4 ③ | 5 ① |
|---|---|---|---|---|
| 6 ③ | 7 ③ | 8 ④ | 9 ⑤ | 10 ③ |

### 1 물의 전기 분해

물을 전기 분해하면 (−)극과 (+)극에서 $H_2$ 기체와 $O_2$ 기체가 2 : 1의 부피 비로 발생한다. 그림의 A 전극에서 더 많은 기포가 발생하는 것으로 보아 수소 기체가 발생함을 알 수 있다.

**정답 맞히기** ㄱ. A 전극에서 수소 기체가 발생하는데, 물이 분해될 때 수소(H)는 환원되고, 산소(O)는 산화된다. 화학 반응식에서 원자의 산화수는 다음과 같다.

$$2\overset{+1}{H_2}\overset{-2}{O} \longrightarrow 2\overset{0}{H_2} + \overset{0}{O_2}$$

ㄷ. 전기 분해를 통해 물이 구성 원소로 나누어지는 것으로 보아 물 분자를 이루는 원자 사이의 결합에 전자가 관여하고 있음을 알 수 있다.

**오답피하기** ㄴ. B 전극에서 발생하는 기체는 $O_2$로서, $O_2$는 전기 음성도가 같은 두 원자가 공유 결합하는 무극성 공유 결합을 형성하는 물질이다.

### 2 자발적 화학 반응

메테인($CH_4$)이 연소되는 반응은 발열 반응이며, 액체에서 기체로 상태 변화할 때에는 기화열을 흡수한다.

**정답 맞히기** ㄱ. 연소 반응은 연료가 빠르게 산화하며 빛과 열을 발생하는 반응이므로 발열 반응이다.

ㄴ. 물이 수증기가 되는 반응은 액체가 기체로 상태 변화하는 반응이므로 기화열을 흡수하는 흡열 반응이다.

**오답피하기** ㄷ. (나) 반응은 액체 상태의 물이 수증기로 상태 변화하는 반응이다. 물이 수증기가 되는 반응은 끓는점 이하인 상온에서도 일어날 수 있다.

### 3 산화 환원 반응

화학 반응식에서 반응 전과 후 원자의 종류와 개수가 같으므로 완성된 화학 반응식은 다음과 같다.

$2Al+3Ag_2S+6H_2O \longrightarrow 2Al(OH)_3+6Ag+3H_2S$

**정답 맞히기** ㄱ. $Ag_2S$에서 S의 산화수는 −2, $H_2O$에서 O의 산화수는 −2, $Al(OH)_3$에서 O의 산화수는 −2, $H_2S$에서 S의 산화수는 −2이다.

**오답피하기** ㄴ. Al에서 Al의 산화수는 0, $Al(OH)_3$에서 Al의 산화수는 +3이다. 반응이 일어나면 Al은 산화되므로 Al은 환원제이다.

ㄷ. H, O, S, Ag의 수는 반응 전과 후가 같으므로 $a=3$, $b=6$, $c=6$, $d=3$이다. 따라서 $(a+b)=(c+d)=9$이다.

### 4 화학 반응식

화학 반응식으로부터 반응물과 생성물의 종류를 알 수 있고, 계수비로부터 반응물과 생성물의 양적 관계를 알 수 있다.

(가)와 (나)의 화학 반응식은 다음과 같다.

(가) $CaCO_3 \longrightarrow CaO+CO_2$

(나) $2NaHCO_3 \longrightarrow Na_2CO_3+H_2O+CO_2$

**정답 맞히기** ㄱ. 화학 반응식에서 반응 전과 후의 원자의 종류와 수가 같아야 하므로 (가)에서 X는 $CO_2$이다.

ㄴ. (나)에서 $a=2$ , $b=c=1$이므로 $a=b+c$이다.

**오답피하기** ㄷ. $CaCO_3$은 1몰이, $NaHCO_3$은 2몰이 반응할 때 $CO_2$ 1몰이 생성되므로 X 1몰을 생성시키기 위해 필요한 반응물의 최소 양(몰)은 (나)에서가 (가)에서보다 크다.

### 5 포도당 수용액의 농도

0.1 M 포도당 수용액 100 mL에는 포도당 0.01몰, 즉 1.8 g이, 1% 포도당 수용액 100 mL에는 1 g의 포도당이 포함되어 있다.

**정답 맞히기** ㄱ. 밀도가 1 g/mL이므로 (가)에 물 80 g을 추가하면 용액의 질량은 180 g이 된다. 퍼센트 농도는 $\frac{\text{용질의 질량(g)}}{\text{용액의 질량(g)}}\times 100=\frac{1.8}{180}\times 100=1(\%)$로 (나)와 농도가 같다.

**오답피하기** ㄴ. (나)에 포도당 0.8 g을 추가하면 용질의 질량은 1.8 g, 즉 0.01몰이 되고 수용액 질량은 100.8 g이 된다. 밀도가 1 g/mL이므로 수용액의 부피는 100.8 mL이다. 몰 농도는 $\frac{\text{용질의 양(몰)}}{\text{용액의 부피(L)}}=\frac{0.01}{0.1008}$ M이므로 0.1 M인 (가)와 같지 않다.

ㄷ. (나)에서 물 40 g을 증발시키면 수용액의 질량은 60 g이고, 부피는 60 mL이다. 몰 농도는 $\frac{\text{용질의 양(몰)}}{\text{용액의 부피(L)}}=\frac{\frac{1}{180}}{0.06}=\frac{1}{10.8}$(M)로 0.1 M보다 작고 (가)와 같지 않다.

### 6 원소의 주기적 성질

같은 주기에서 원자 번호가 증가할수록 전기 음성도가 증가하므로 원자 번호는 O>Z>Y>X이다. 같은 주기에서 원자 번호가 증가할수록 원자 반지름이 감소하므로 (나)가 원자 반지름이고, 따라서 (가)는 제1 이온화 에너지이다. 2주기 원소의 제1 이온화 에너지는 Ne>F>N>O>C>Be>B>Li이므로 O보다 원자 번호가 작으면서 제1 이온화 에너지가 큰 Z는 N이며, 원자 번호가 Y>X, 제1 이온화 에너지가 X>Y인 X, Y는 각각 Be, B이다.

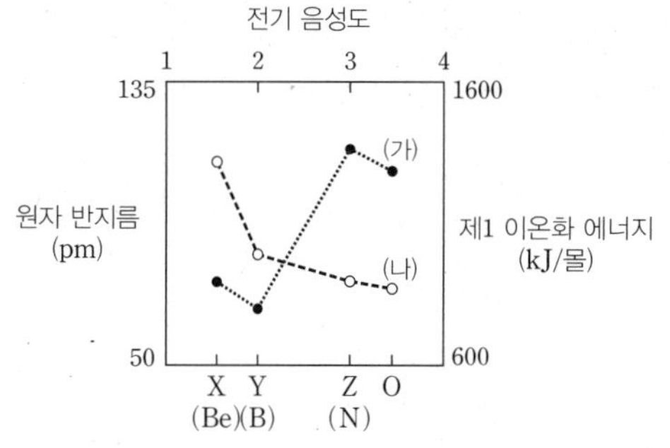

정답 맞히기 ㄱ. (가)는 제1 이온화 에너지, (나)는 원자 반지름이다.
ㄷ. 바닥상태 전자 배치에서 홀전자 수는 $O^+(1s^22s^22p^3)$이 3, $Z^+(1s^22s^22p^2)$이 2로, $O^+$이 $Z^+(N^+)$보다 크다.

오답피하기 ㄴ. 2주기 원소의 제2 이온화 에너지는 Li > Ne > O > F > N > B > C > Be으로, 제2 이온화 에너지는 Y(B)가 X(Be)보다 크다.

## 7 전자 배치와 주기율표

2, 3주기 13~16족에 속하는 바닥상태 원자 중에서 전자가 들어 있는 오비탈 수가 B > C = D이므로 C와 D는 2주기 15족, 16족 원소이다. A와 C는 |$s$ 오비탈의 총 전자 수 − $p$ 오비탈의 총 전자 수|가 같으므로 2주기 15족 원소와 3주기 13족 원소 중 하나이다. 따라서 C는 2주기 15족 원소이며, D는 2주기 16족, A는 3주기 13족 원소이다. A~D의 홀전자 수의 합이 9이므로 B는 3주기 15족 원소이다. 조건을 만족하는 A~D는 다음과 같다.

| 주기 | 13족 | 14족 | 15족 | 16족 |
|---|---|---|---|---|
| 2 | | | C | D |
| 3 | A | | B | |

정답 맞히기 ㄱ. A는 3주기 13족 원소이다.
ㄴ. B와 C는 15족 원소이다.

오답피하기 ㄷ. A와 B의 원자가 전자 수 차이는 2, C와 D의 원자가 전자 수 차이는 1이다.

## 8 전자쌍 수와 결합각

각 분자에서 2주기 원자가 옥텟 규칙을 만족하고, H, C, O, F 중 2가지 원소로 이루어진 3원자 분자에는 $H_2O$, $CO_2$, $OF_2$가 있다. $\frac{\text{비공유 전자쌍 수}}{\text{공유 전자쌍 수}}$가 $H_2O$과 $CO_2$는 각각 1이고, $OF_2$는 4이며, 결합각이 $H_2O$은 104.5°, $CO_2$는 180°이므로 (가)는 $CO_2$, (나)는 $H_2O$, (다)는 $OF_2$이다.

| 분자 | (가) $CO_2$ | (나) $H_2O$ | (다) $OF_2$ |
|---|---|---|---|
| 공유 전자쌍 수 | 4 | 2 | 2 |
| 비공유 전자쌍 수 | 4 | 2 | 8 |
| 분자 구조 | 직선형 | 굽은 형 | 굽은 형 |

정답 맞히기 ㄱ. 공유 전자쌍 수가 (가)는 4, (나)는 2이므로 공유 전자쌍 수는 (가)가 (나)의 2배이다.
ㄷ. 전기 음성도가 F이 O보다 크므로 (다)에서 중심 원자인 O는 부분적인 (+)전하를 띤다.

오답피하기 ㄴ. (나)에는 단일 결합만 2개 있다.

## 9 기체 반응에서의 양적 관계

분자량이 B가 A의 14배이므로 실험 (가), (나)에서 반응 전 기체 A와 B의 몰 비는 다음과 같다.

(가) A : B $=\frac{2}{1} : \frac{7}{14} = 4 : 1$

(나) A : B $=\frac{9}{1} : \frac{14}{14} = 9 : 1$

같은 온도와 압력에서 기체의 부피는 분자 수(몰)에 비례하므로 부피 비를 분자 수 비(몰 비)로 활용할 수 있다.

| 실험 | 반응 전 질량 비 (A : B) | 반응 전 몰 비 (A : B) | 전체 기체의 양(몰)(상댓값) | | |
|---|---|---|---|---|---|
| | | | 반응 전 | 반응 후 | 변화량 |
| (가) | 2 : 7 | 4 : 1 | 5 | 3 | −2 |
| (나) | 9 : 14 | 9 : 1 | 10 | 8 | −2 |

(가), (나)에서 부피 감소량 또는 기체의 양(몰) 감소량이 같으므로 반응량이 같다. 즉 생성된 C의 양(몰)이 같다. 따라서 (가), (나)에서 양적 관계는 다음과 같다.

| (가)에서의 양(몰)(상댓값) | 반응물 | | 생성물 | 전체 기체 |
|---|---|---|---|---|
| | A | B | C | |
| 반응 전 | 4 | 1 | 0 | 5 |
| 반응 | −3 | −1 | +2 | −2 |
| 반응 후 | 1 | 0 | 2 | 3 |

| (나)에서의 양(몰)(상댓값) | 반응물 | | 생성물 | 전체 기체 |
|---|---|---|---|---|
| | A | B | C | |
| 반응 전 | 9 | 1 | 0 | 10 |
| 반응 | −3 | −1 | +2 | −2 |
| 반응 후 | 6 | 0 | 2 | 8 |

반응 몰 비가 A : B : C = 3 : 1 : 2이므로 반응 계수 비도 3 : 1 : 2이다. 따라서 화학 반응식은 $3A + B \longrightarrow 2C$이다.

정답 맞히기 ㄱ. 분자량이 B가 A의 14배이므로 (가)에서 반응 전 기체의 몰 비는 A : B $=\frac{2}{1} : \frac{7}{14} = 4 : 1$이다.
ㄴ. 반응 몰 비가 A : B : C = 3 : 1 : 2이므로 $a=3$이다.
ㄷ. (가)와 (나)에서 부피 감소량 또는 기체의 양(몰) 감소량이 같으므로 반응량이 같다. 따라서 (가)와 (나)에서 생성된 C의 질량은 같다.

## 10 중화 반응과 단위 부피당 이온 수

정답 맞히기 ㄱ. (가)에 없는 ㉢은 $K^+$이며, (나) → (다)에서 단위 부피당 이온 수가 증가하는 ㉣은 $OH^-$이다.
$OH^-$이 (가)에 존재하므로, $Na^+$ 수 > $Cl^-$ 수이며, $H^+$은 존재하지 않는다. 따라서 ㉠은 $Cl^-$, ㉡은 $Na^+$이다.
ㄴ. (나)와 (다)에서 $Na^+$ 또는 $Cl^-$의 비가 3 : 2이므로 혼합 용액의 부피 비는 2 : 3이다. $V+10 : V+30 = 2 : 3$이므로 $V=30$이다.

오답피하기 ㄷ. $HCl(aq)$과 $NaOH(aq)$을 1 : 1의 부피 비로 혼합하여 (가)를 만들었다면, 단위 부피를 10 mL로 가정했을 때 $HCl(aq)$은 15 mL에 $Cl^-$이 $48N$, $KOH(aq)$은 10 mL에 $K^+$이 $24N$ 있으므로 단위 부피당 이온 수는

$HCl(aq) : KOH(aq) = \frac{96N}{15\text{ mL}} : \frac{48N}{10\text{ mL}} = 4 : 3$이 된다.

## 08회 미니모의고사

본문 27~30쪽

| | | | | |
|---|---|---|---|---|
| 1 ④ | 2 ⑤ | 3 ③ | 4 ⑤ | 5 ③ |
| 6 ⑤ | 7 ① | 8 ③ | 9 ① | 10 ④ |

### 1 산화 환원 반응

(가)의 화학 반응식을 완성하면 다음과 같다.

(가) $Cu_2S+O_2 \longrightarrow 2Cu+SO_2$

㉠은 $SO_2$이고, (나)에 대입하면 다음과 같다.

(나) $SO_2+aH_2S \longrightarrow bH_2O+cS$

(나)에서 반응 전과 후에 존재하는 원소의 종류(S, O, H)와 개수는 같으므로 $1+a=c$, $2=b$, $2a=2b$이다. 즉 $a=b=2$이고, $c=3$이므로 계수를 대입하면 다음과 같다.

(나) $SO_2+2H_2S \longrightarrow 2H_2O+3S$

정답 맞히기 ㄱ. (가)에서 Cu의 산화수는 $Cu_2S$에서 +1이고, Cu에서 0이므로 감소한다.

ㄷ. $a+b+c=2+2+3=7$이다.

오답피하기 ㄴ. ㉠은 $SO_2$이고, (나)에서 S의 산화수는 $SO_2$에서 +4이고, S에서 0이다. S의 산화수는 +4 → 0으로 감소하여 환원되므로 $SO_2$은 산화제이다.

### 2 물질의 용해 실험의 가설 설정

과학 탐구 과정은 문제 인식－가설 설정－탐구 설계－탐구 수행－자료 해석－결론 도출의 과정으로 진행되는데, 가설 설정 과정은 탐구의 수행 방향과 방법에 가장 큰 영향을 미치는 중요한 과정이라고 할 수 있다.

정답 맞히기 ⑤ 극성 용매인 물과 무극성 용매인 사이클로헥세인에 각각 이온 결합 물질인 황산 구리(Ⅱ)와 무극성 물질인 아이오딘을 넣어 용해된 정도를 관찰하여 결론을 도출하였으므로 가설로 '극성 물질은 극성 용매에 잘 용해되고, 무극성 물질은 무극성 용매에 잘 용해된다.'가 가장 적절하다.

### 3 원자와 이온의 전자 배치

$Y^-$과 $Z^{2+}$의 전자 배치가 Ne과 같으므로 Y와 Z는 각각 F과 Mg이다. F의 $p$ 오비탈에 들어 있는 전자 수는 5이므로 X의 $p$ 오비탈에 들어 있는 전자 수는 $5\times2=10$이다. 따라서 X는 S이다. X~Z의 전자 배치는 다음과 같다.

X: $1s^2 2s^2 2p^6 3s^2 3p^4$

Y: $1s^2 2s^2 2p^5$

Z: $1s^2 2s^2 2p^6 3s^2$

정답 맞히기 ㄱ. X~Z의 홀전자 수는 각각 2, 1, 0이다. 따라서 홀전자 수는 X>Y>Z이다.

ㄴ. Y는 F이므로 2주기 17족 원소이다.

오답피하기 ㄷ. X~Z의 원자 번호는 각각 16, 9, 12이므로 X의 원자 번호가 가장 크다.

### 4 분자의 구조와 성질

(가)~(다)에서 중심 원자는 공유 전자쌍의 수가 2~4 중 하나이다. 중심 원자의 공유 전자쌍 수에 따라 $\frac{\text{비공유 전자쌍 수}}{\text{공유 전자쌍 수}}$를 구하면 다음과 같다.

1) 중심 원자의 공유 전자쌍 수가 2일 경우

중심 원자는 옥텟 규칙을 만족하므로 비공유 전자쌍 수가 2이다. 중심 원자와 단일 결합하는 원자 수는 2이고, 각 원자는 옥텟 규칙을 만족하므로 비공유 전자쌍 수가 3이다.

$\frac{\text{비공유 전자쌍 수}}{\text{공유 전자쌍 수}}=\frac{2\times3+2}{2}=4$이다.

2) 중심 원자의 공유 전자쌍 수가 3일 경우

중심 원자는 옥텟 규칙을 만족하므로 비공유 전자쌍 수가 1이다. 중심 원자와 단일 결합하는 원자 수는 3이고, 각 원자는 옥텟 규칙을 만족하므로 비공유 전자쌍 수가 3이다.

$\frac{\text{비공유 전자쌍 수}}{\text{공유 전자쌍 수}}=\frac{3\times3+1}{3}=\frac{10}{3}$이다.

3) 중심 원자의 공유 전자쌍 수가 4일 경우

중심 원자는 옥텟 규칙을 만족하므로 비공유 전자쌍 수가 0이다. 중심 원자는 단일 결합하는 원자 수가 4이거나 2중 결합하는 원자 수가 2이다. 중심 원자와 단일 결합하는 원자 수가 4일 경우 각 원자는 옥텟 규칙을 만족하므로 비공유 전자쌍 수가 3이다.

이 경우 $\frac{\text{비공유 전자쌍 수}}{\text{공유 전자쌍 수}}=\frac{4\times3}{4}=3$이다. 중심 원자와 2중 결합하는 원자 수가 2일 경우 각 원자는 옥텟 규칙을 만족하므로 비공유 전자쌍 수가 2이다. 이 경우 $\frac{\text{비공유 전자쌍 수}}{\text{공유 전자쌍 수}}=\frac{2\times2}{4}=1$이다.

따라서 (가)~(다)의 구조식은 다음과 같다.

(가) :B̤̈=A=B̤̈:　(나) C가 A에 4개 단일 결합　(다) :C̤̈−B̤̈: , B에 C 결합

(가)　(나)　(다)

정답 맞히기 ㄱ. (가)에는 A와 B 사이에 2중 결합이 있다.

ㄴ. 구성 원자 수는 (가)가 3, (나)가 5, (다)가 3이다.

ㄷ. (가)는 직선형 구조이고, (나)는 정사면체형 구조이며, (다)는 굽은 형 구조이다. 따라서 구성 원자가 동일 평면에 있는 분자는 (가)와 (다)이다.

### 5 원소의 주기적 성질

A~C의 이온의 전자 배치는 Ne과 같으므로 A~C의 이온 반지름이 클수록 원자 번호가 작다. 원자 번호의 크기는 B>A>C이다.

**정답 맞히기** ㄱ. 같은 족에서 원자 번호가 작을수록, 같은 주기에서 원자 번호가 클수록 전기 음성도가 크다. B는 A보다 원자 번호와 전기 음성도가 크므로 A와 B는 같은 주기 원소이다. C는 원자 번호가 가장 작지만 전기 음성도가 가장 크므로 2주기 원소이고, A와 B는 3주기 원소이다. A~C의 이온은 Ne과 전자 배치가 같아야 하므로 A와 B는 3주기 금속 원소이고, C는 2주기 비금속 원소이다.

ㄷ. 비금속 원소는 원자가 음이온이 되면 반지름이 커지고, 금속 원소는 원자가 양이온이 되면 반지름이 작아진다. 따라서 $\frac{\text{이온 반지름}}{\text{원자 반지름}}$이 1보다 큰 원소는 비금속 원소인 C이다.

**오답피하기** ㄴ. 원자 반지름은 주기율표 상에서 왼쪽으로 갈수록, 아래쪽으로 갈수록 커지므로 B의 원자 반지름이 C보다 크다.

## 6 화학 반응식에서 질량과 몰

화학 반응 전과 후에 원자 수는 변하지 않으며, 화학 반응식의 계수비는 몰 비와 같다.

**정답 맞히기** ㄱ. 생성물에서 H 원자 수가 2이므로 $x=2$, 반응물에서 C 원자 수가 1이므로 $y=1$이다.

ㄴ. $CaCO_3(s)$의 화학식량은 100이므로 10 g은 0.1몰이다. 화학 반응식의 계수 비가 $CaCO_3(s) : CO_2(g)=1 : 1$이므로 $CaCO_3(s)$ 0.1몰이 반응할 때 발생하는 $CO_2(g)$는 0.1몰이다.

ㄷ. 0℃, 1기압에서 $CO_2(g)$ 5.6 L는 0.25몰이고 $CaCO_3(s) : CO_2(g)=1 : 1$이므로 $CaCO_3(s)$ 0.25몰이 반응해야 하며 $CaCO_3(s)$의 화학식량은 100이므로 $CaCO_3(s)$ 25 g이 반응해야 한다.

## 7 원소의 주기적 성질

제2 이온화 에너지는 1족 원소가 가장 크므로 E가 1족 원소이다. A~F는 원자 번호가 연속인 2, 3주기 원자이므로 A는 질소(N), B는 산소(O), C는 플루오린(F), D는 네온(Ne), E는 나트륨(Na), F는 마그네슘(Mg)이다.

**정답 맞히기** ㄱ. A는 질소(N)이고, B는 산소(O)이므로 제1 이온화 에너지는 A가 B보다 크다.

**오답피하기** ㄴ. C는 플루오린(F)으로 2주기 17족 원소이고, E는 나트륨(Na)으로 3주기 1족 원소이므로 원자 반지름은 E가 C보다 크고, 이온 반지름은 C가 E보다 크다. 따라서 $\frac{\text{이온 반지름}}{\text{원자 반지름}}$은 C가 E보다 크다.

ㄷ. E는 나트륨(Na)이고, F는 마그네슘(Mg)이므로 E와 F는 모두 3주기 원소이다. 따라서 바닥상태에서 전자가 들어 있는 전자 껍질 수는 3으로 같다.

## 8 기체의 부피와 분자 수

같은 온도와 압력에서 기체의 부피는 분자 수에 비례한다.
A와 B의 분자량을 각각 $M_A$, $M_B$라 할 때 A와 B의 양(몰)은
(가)에서는 각각 $\frac{16}{M_A}$몰, $\frac{8}{M_B}$몰이고,
(나)에서는 각각 $\frac{8}{M_A}$몰, $\frac{16}{M_B}$몰이며,
(다)에서는 각각 $\frac{x}{M_A}$몰, $\frac{24}{M_B}$몰이다.

**정답 맞히기** ㄱ. (가)와 (나)의 부피 비가 3 : 2이므로
$\frac{16}{M_A}+\frac{8}{M_B} : \frac{8}{M_A}+\frac{16}{M_B}=3 : 2$에서 $M_A : M_B=1 : 4$이다.

ㄴ. (나)에서 A와 B의 몰 비가 $\frac{8}{M_A} : \frac{16}{M_B}$이고, $M_A : M_B=1 : 4$이므로 (나)에서 A와 B의 분자 수 비는 2 : 1이다.

**오답피하기** ㄷ. (나)와 (다)에서 부피가 같으므로
$\frac{8}{M_A}+\frac{16}{M_B}=\frac{x}{M_A}+\frac{24}{M_B}$이며 $M_A : M_B=1 : 4$이므로 $x=6$이다.

## 9 기체 반응에서의 양적 관계

기체 분자 수(몰)가 변하지 않는 반응이므로 반응 전과 후 전체 기체의 부피는 같다. A 0.2 g, B 7.1 g의 양(몰)을 각각 $a$, $b$라고 하면 반응 전과 후 기체에 대한 자료는 다음과 같다.

| 실험 | 반응 전 | | | | | 반응 후 |
|---|---|---|---|---|---|---|
| | A | | B | | 전체 기체의 부피(L) | 전체 기체의 부피(L) |
| | 질량(g) | 양(몰) | 질량(g) | 양(몰) | | |
| (가) | 0.4 | $2a$ | 7.1 | $b$ | 3 | 3 |
| (나) | 0.2 | $a$ | 28.4 | $4b$ | 5 | 5 |

기체의 부피는 분자 수(몰)에 비례하므로 반응 전 전체 기체의 몰 비는 (가) : (나)=3 : 5이다.
$\frac{(\text{가})}{(\text{나})}=\frac{(2a+b)}{(a+4b)}=\frac{3}{5}$이므로 $a=b$이다.
(가), (나)에서 반응 전과 후 양(몰)적 관계(상댓값)는 다음과 같다.

| (가) | A | + B | → 2C |
|---|---|---|---|
| 반응 전 | 2 | 1 | 0 |
| 반응 | −1 | −1 | +2 |
| 반응 후 | 1 | 0 | 2 |

| (나) | A | + B | → 2C |
|---|---|---|---|
| 반응 전 | 1 | 4 | 0 |
| 반응 | −1 | −1 | +2 |
| 반응 후 | 0 | 3 | 2 |

기체 반응에서 반응물의 계수의 합과 생성물의 계수의 합이 같으므로 기체 분자 수(몰)가 변하지 않는 반응이다. 따라서 반응 전과 후 전체 기체의 부피는 같다.

**정답 맞히기** ㄱ. 기체 분자 수가 변하지 않는 반응이므로 (가)에서 반응 전 전체 기체의 부피는 반응 후와 같은 3 L이다.

**오답피하기** ㄴ. (나)에서 반응 후 남은 기체와 생성된 기체의 몰 비는 B : C=3 : 2이다.

ㄷ. $a=b$이므로 분자량 비가 A : B=0.2 : 7.1=2 : 71이다. 따라서 반응 질량 비는 A : B : C=2 : 71 : 73이고, 반응 몰 비는 반응 계수 비와 같으므로 A : B : C=1 : 1 : 2이다.

따라서 분자량 비는 A : B : C$=\frac{2}{1}:\frac{71}{1}:\frac{73}{2}=4:142:73$이며, $\frac{\text{C의 분자량}}{\text{A의 분자량}}=\frac{73}{4}$이다.

## 10 생성된 물 분자 수와 양이온의 총수

정답 맞히기 ㄱ. 용액 Ⅱ에서도 물 분자가 생성되었으므로 용액 Ⅰ은 염기성이며, 생성된 물 분자 수로부터 HCl($aq$) $y$ mL에 포함된 $H^+$ 수는 $3N$, NaOH($aq$) $x$ mL에 포함된 $OH^-$ 수는 $4N$이다. 용액 Ⅱ, Ⅲ에서 물 분자가 $N$씩 생겼으므로 용액 Ⅱ의 HCl($aq$) 10 mL에는 $H^+$이 $2N$ 있고, 따라서 $y=15$이다. 양이온의 총수가 용액 Ⅲ은 $7N$이므로 용액 Ⅲ에 포함된 NaOH($aq$) ($x+15$) mL에 총 $7N$의 양이온이 있고, 이로부터 $x=20$임을 알 수 있다.

ㄷ. 용액 Ⅰ에는 $OH^-$이 $N$, 용액 Ⅱ에는 $H^+$이 $N$, 용액 Ⅲ에는 $OH^-$이 $2N$ 있으므로, 용액 Ⅰ~Ⅲ을 모두 혼합하면 물 분자 $N$이 새롭게 생성된다.

오답피하기 ㄴ. 용액 Ⅰ의 NaOH($aq$) $x$ mL에 포함된 양이온 수는 $4N$, HCl $y$ mL에 포함된 양이온 수는 $3N$이므로, 용액 Ⅰ의 양이온 수는 $4N$이다.

# 09회 미니모의고사

본문 31~34쪽

| | | | | |
|---|---|---|---|---|
| 1 ⑤ | 2 ③ | 3 ③ | 4 ⑤ | 5 ③ |
| 6 ④ | 7 ③ | 8 ④ | 9 ⑤ | 10 ⑤ |

## 1 산과 염기의 반응

(가)와 (다)의 반응식은 각각 다음과 같다.

$KOH(s) \longrightarrow K^+(aq)+OH^-(aq)$

$NH_3(g)+H_2O(l) \longrightarrow NH_4^+(aq)+OH^-(aq)$

정답 맞히기 ㄱ. KOH은 아레니우스 염기로 물에 녹으면 $OH^-$을 내놓는 물질이다. $NH_3$는 물과 반응하여 물로부터 $H^+$을 받아 $NH_4^+$이 생성되면서 $OH^-$이 생성된다. 따라서 ㉠, ㉡은 모두 $OH^-$이다.

ㄴ. (나)에서 HCl가 물에 녹아서 $H^+$을 내놓고 $Cl^-$이 되었으므로 HCl는 아레니우스 산이다.

ㄷ. (다)에서 $NH_3$는 $H_2O$로부터 $H^+$를 받아 $NH_4^+$이 되었으므로 브뢴스테드-로리 염기이다.

## 2 이온 결합과 공유 결합

화합물의 결합 모형으로 보아 $AB_2$에서 $A^{2+}$은 $Mg^{2+}$, $B^-$은 $F^-$이고, $CB_2$는 $OF_2$이다. 따라서 A는 마그네슘(Mg), B는 플루오린(F), C는 산소(O)이다.

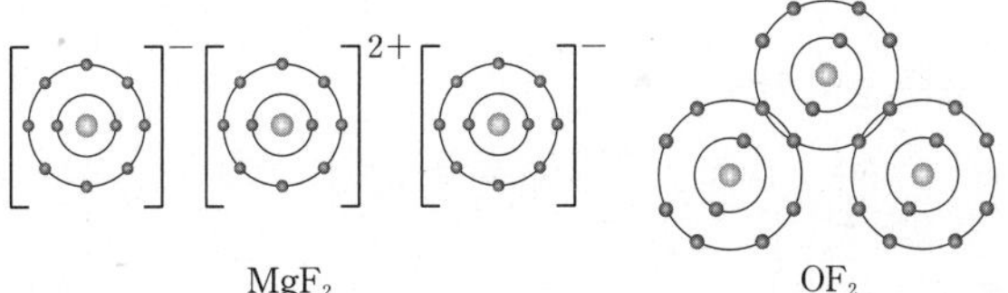


정답 맞히기 ㄱ. A는 Mg이므로 3주기 원소이다.

ㄷ. 화합물 AC(MgO)는 금속 원소와 비금속 원소의 화합물이므로 이온 결합 물질이다. 이온 결합 화합물은 액체 상태에서 전기 전도성이 있다.

오답피하기 ㄴ. $B_2$는 $F_2$이므로 공유 전자쌍 수는 1이다.

$$:\ddot{\underset{..}{F}}:\ddot{\underset{..}{F}}:$$

## 3 산화와 환원

하이포염소산 나트륨(NaOCl)과 염산(HCl)의 산화 환원 반응에서 Cl의 산화수는 다음과 같다.

$$NaO\underset{+1}{\underline{Cl}} + 2H\underset{-1}{\underline{Cl}} \longrightarrow Na\underset{-1}{\underline{Cl}} + H_2O + \underset{0}{\underline{Cl_2}}$$

정답 맞히기 ㄱ. $a=2$, $b=1$, $c=1$이므로 $a=b+c$이다.

ㄷ. NaOCl의 Cl는 산화수가 감소하였으므로 환원되었다. 따라서 NaOCl은 산화제이다.

오답피하기 ㄴ. NaOCl에서 Na의 산화수가 +1이므로 O와 Cl의 산화수 합은 −1이다. O의 산화수가 −2이므로 Cl의 산화수는 +1이다. 따라서 ㉠ Cl의 산화수는 +1이다.

## 4 분자의 구조와 극성

H, C, O, F 중 2가지 원소로 구성되는 3원자 분자 중에서 무극성 분자는 $CO_2$이므로 (다)의 구성 원소 Y, Z는 각각 C, O 중 하나이다. 그 외 3원자 분자에는 $H_2O$, $OF_2$가 있는데 (가), (나)에 Y가 공통으로 들어 있으므로 Y는 $H_2O$와 $OF_2$의 공통 원소인 O이고, W, X는 각각 H, F 중 하나이다. 또한 전기 음성도는 H<O<F이고, (가)에서 Y(O)가 부분적인 (−)전하를 띠므로 W는 H이다. 따라서 W는 H, X는 F, Y는 O, Z는 C이므로 (가)는 $H_2O$, (나)는 $OF_2$, (다)는 $CO_2$이다.

(가)~(다)의 루이스 구조식은 다음과 같다.

H–Ö–H (가) :F̤–Ö–F̤: (나) :Ö=C=Ö: (다)

정답 맞히기 ⑤ (가)~(다)의 비공유 전자쌍 수는 각각 2, 8, 4이므로 (나)가 가장 크다.

오답피하기 ① (나)는 $OF_2$이므로 ㉠은 극성이다.

② (다)에는 2중 결합이 있다.

③ W는 H이고, X는 F이므로 전기 음성도는 X가 W보다 크다.

④ 굽은 형 구조는 (가), (나) 2가지이다.

## 5 표준 용액 제조

용액의 몰 농도(M)는 용액 1 L에 녹아 있는 용질의 양(몰)을 말하며 $\frac{\text{용질의 양(몰)}}{\text{용액의 부피(L)}}$이다.

정답 맞히기 ㄱ. 0.1 M NaOH 수용액은 용액 1000 mL에 NaOH 0.1몰인 4 g이 용해되어 있는 수용액이다. 따라서 수용액 250 mL에는 NaOH 1 g이 용해되어야 하므로 $x=1$이다.

ㄴ. 정확한 몰 농도의 표준 용액을 만들기 위해 사용하는 실험 기구 ㉠은 부피 플라스크이다.

오답피하기 ㄷ. 증류수 250 mL에 NaOH 1 g을 용해시키면 수용액의 부피는 변하므로 0.1 M가 아니다.

## 6 전자 배치

바닥상태의 2, 3주기 원자 중 홀전자 수가 2인 원자는 C, O, Si, S이고, C, O, Si, S은 $p$ 오비탈에 들어 있는 전자 수가 각각 2, 4, 8, 10이다. X와 Z는 $p$ 오비탈에 들어 있는 전자 수가 4만큼 차이나므로 X는 O, Z는 Si이고, $n=4$이다. Y는 $p$ 오비탈에 들어 있는 전자 수가 6이고, 홀전자 수가 1이므로 Na이다.

정답 맞히기 ㄴ. 전자가 들어 있는 오비탈 수는 Y(Na)가 6, Z(Si)가 8이다.

ㄷ. $n=4$이므로 $p$ 오비탈에 들어 있는 전자 수가 10인 원자는 S이고, 홀전자 수가 2이다.

오답피하기 ㄱ. $s$ 오비탈에 들어 있는 전자 수는 X(O)가 4, Y(Na)가 5이다.

## 7 원소의 전자 배치와 주기성

2, 3주기의 13~16족 원소는 표와 같다.

| 주기 \ 족 | 13 | 14 | 15 | 16 |
|---|---|---|---|---|
| 2 | B | C | N | O |
| 3 | Al | Si | P | S |

X의 원자가 전자 수가 3이므로 X는 B 또는 Al이다. 만약 X가 Al이라면 Al보다 제1 이온화 에너지가 작은 W에 해당하는 원소는 주어진 조건 내에는 존재하지 않는다. 따라서 X는 B이고 X보다 제1 이온화 에너지가 크고 원자 반지름이 작은 Y, Z는 B와 같은 2주기 원소이며, X~Z보다 제1 이온화 에너지가 작고 원자 반지름이 큰 W는 3주기 원소이다. Y와 Z의 원자 반지름이 X보다 작으므로 Y와 Z는 X(B)와 같은 주기 원소이며 원자 번호가 큰 C, N, O 중 각각 하나임을 알 수 있다. 원자 반지름은 Y<Z이므로 원자 번호는 Y가 더 큰데, 제1 이온화 에너지가 Y<Z이므로 Y는 Z보다 원자 번호는 크고 제1 이온화 에너지가 작아야 한다. 따라서 Y는 O이고, Z는 N이다.

정답 맞히기 ㄱ. X, Y, Z는 2주기 원소, W는 3주기 원소이다.

ㄷ. 원자가 전자 수는 X(B)가 3, Y(O)가 6이므로 Y가 X의 2배이다.

오답피하기 ㄴ. 주기율표에서 전기 음성도는 오른쪽 위로 갈수록 커지므로, W~Z 중 2주기 16족 원소인 Y(O)가 가장 크다.

## 8 기체의 분자 수와 부피

화학 반응 전과 후의 원자의 종류와 개수는 같으므로 질량 보존 법칙이 성립한다.

반응에서 $X_2$ 3분자와 $Y_2$ 3분자를 반응시켰을 때, $X_2$ 2분자가 남았고 반응 전과 후의 전체 기체의 부피 비가 3 : 2이므로 생성된 물질의 분자 수는 2분자이다. 생성물을 A라고 하면 $X_2$ 1몰과 $Y_2$ 3몰이 반응하면 A 2몰이 생성되며 이를 화학 반응식으로 나타내면 다음과 같다.

$X_2(g)+3Y_2(g) \longrightarrow 2A(g)$

정답 맞히기 ㄱ. 반응 전과 후의 기체의 부피 비가 3 : 2이며 질량 보존 법칙에 의해 반응 전과 후의 기체의 질량은 같고, 질량이 같을 때 기체의 밀도는 부피에 반비례하므로 $\frac{\text{반응 전 기체의 밀도}}{\text{반응 후 기체의 밀도}}=\frac{2}{3}$이다.

ㄷ. 반응 전 $X_2$와 $Y_2$의 분자 수는 같고, 질량 비가 $x : y$이므로 $X_2$와 $Y_2$의 분자량 비도 $x : y$이다. $X_2$와 $Y_2$의 반응 몰 비가 1 : 3이므로 $X_2$와 $Y_2$는 $x : 3y$의 질량 비로 반응한다.

**오답피하기** ㄴ. $X_2$ 1몰과 $Y_2$ 3몰이 반응하면 생성물 2몰이 생성되므로 생성물의 화학식은 $XY_3$이다.

## 9 기체 반응에서의 양적 관계

일정량(=56 g)의 $A_2$가 들어 있는 실린더에 $B_2$를 넣어 가면서 반응시킨 결과를 보면, $B_2$를 넣기 전 기체가 2몰이므로 실린더에 $A_2$ 2몰이 들어 있었다는 것을 알 수 있다. 반응 후 전체 기체의 양(몰) 변화를 보면 $B_2$ 6몰을 넣었을 때 $A_2$와 $B_2$가 모두 반응하여 X 4몰을 생성한다는 것을 알 수 있다.

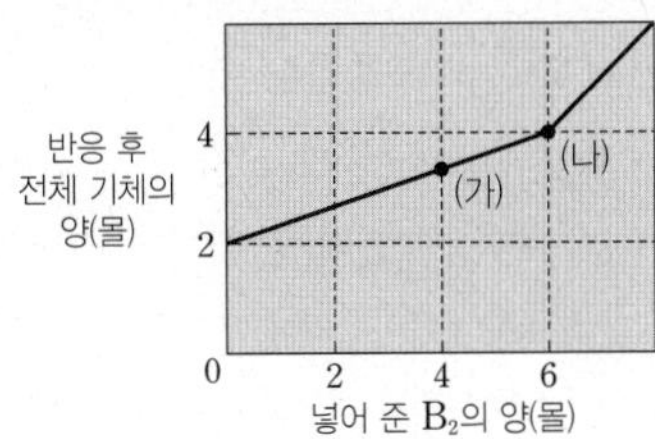


반응 몰 비가 $A_2 : B_2 : X = 2 : 6 : 4 = 1 : 3 : 2$이다. 따라서 기체 반응의 화학 반응식은 $A_2 + 3B_2 \longrightarrow 2X$이고 X의 분자식은 $AB_3$이다.

**정답 맞히기** ㄱ. 반응 계수 $a=1$, $b=3$, $c=2$이므로 $a+b=2c$이다.

ㄴ. $A_2$ 56 g이 2몰이므로 $A_2$의 분자량은 28이고, A의 원자량은 14이다.

ㄷ. (가)에서 $B_2$가 모두 반응하므로 반응 전과 후 양적 관계는 다음과 같다.

| (가) | $A_2$ | + $3B_2$ | $\longrightarrow$ $2X$ |
|---|---|---|---|
| 반응 전(몰) | 2 | 4 | 0 |
| 반응(몰) | $-\frac{4}{3}$ | $-4$ | $+\frac{8}{3}$ |
| 반응 후(몰) | $\frac{2}{3}$ | 0 | $\frac{8}{3}$ |

반응 후 실린더에 들어 있는 X의 양(몰)은 남은 $A_2$의 양(몰)의 4배이다.

## 10 산과 염기 반응에서 1 mL당 이온 수

혼합 용액 Ⅰ과 Ⅱ에서 구경꾼 이온인 $Na^+$의 수는 변하지 않는다. 또한 1 mL당 이온 수$=\frac{\text{이온 수}}{\text{용액의 부피}}$이므로 '이온 수=1 mL당 이온 수×용액의 부피'이다.

**정답 맞히기** ㄱ. 혼합 용액 Ⅰ과 Ⅱ에 공통으로 존재하는 A는 $Na^+$, Ⅰ에만 존재하는 B는 $H^+$, Ⅱ에만 존재하는 C는 $K^+$이다.

ㄴ. 혼합 용액 Ⅰ의 부피는 30 mL이므로 혼합 용액 Ⅰ에서 $Na^+$의 수는 $120N$이고, 혼합 용액 Ⅱ에서 $Na^+$의 수도 $120N$이다. 혼합 용액 Ⅱ의 부피는 60 mL이므로 1 mL당 $Na^+$의 수 $x$는 $2N$이다.

ㄷ. 혼합 용액 Ⅰ에서 $Na^+$의 수는 $120N$, $H^+$의 수는 $60N$이므로 중화 반응 전과 후 이온 수의 변화는 다음과 같다.

| 이온 | $H^+$ | $Cl^-$ | $Na^+$ | $OH^-$ |
|---|---|---|---|---|
| 반응 전 | $180N$ | $180N$ | $120N$ | $120N$ |
| 반응 | $-120N$ | | | $-120N$ |
| 반응 후 | $60N$ | $180N$ | $120N$ | 0 |

혼합 용액 Ⅱ에서 $Na^+$과 $K^+$의 수는 각각 $120N$이므로 중화 반응 전과 후 이온 수의 변화는 다음과 같다.

| 이온 | $H^+$ | $Cl^-$ | $Na^+$ | $K^+$ | $OH^-$ |
|---|---|---|---|---|---|
| 반응 전 | $60N$ | $180N$ | $120N$ | $120N$ | $120N$ |
| 반응 | $-60N$ | | | | $-60N$ |
| 반응 후 | 0 | $180N$ | $120N$ | $120N$ | $60N$ |

혼합 용액 Ⅱ에서 $OH^-$의 수는 $60N$이다.

## 10회 미니모의고사

본문 35~37쪽

| | | | | |
|---|---|---|---|---|
| 1 ⑤ | 2 ④ | 3 ④ | 4 ⑤ | 5 ② |
| 6 ⑤ | 7 ④ | 8 ⑤ | 9 ③ | 10 ⑤ |

### 1 물의 전기 분해

순수한 물은 전류가 흐르지 않으므로 물에 전류를 흐르게 하려면 황산 나트륨과 같은 전해질(A)을 녹여 주어야 한다. 전해질을 녹인 물에 전류를 흘려 주면 수소 기체와 산소 기체로 분해된다. 물의 분해 반응식은 다음과 같다.

$$2H_2O(l) \longrightarrow 2H_2(g)+O_2(g)$$

**정답 맞히기** ㄴ. 물이 분해되면 수소 기체와 산소 기체가 2 : 1의 부피 비로 생성되므로 ㉠은 산소 기체이다. 물이 분해될 때 (−)극에서는 물이 전자를 얻어 수소 기체가 발생하고, (+)극에서는 물이 전자를 잃고 산소 기체가 발생한다.

ㄷ. 반응이 진행되면 액체인 물이 분해되어 기체가 발생하는데 부피는 기체가 액체보다 크므로 시험관 안의 물이 밀려 내려와 비커 내 물의 높이 $h$는 증가한다.

**오답피하기** ㄱ. 전해질은 물에 녹아 이온으로 나누어지는 이온 결합 물질이 적절하다.

### 2 결합의 극성과 분자의 극성

㉠은 극성 공유 결합으로 이루어진 극성 분자이므로 HCN, $CH_2O$가, ㉡은 극성 공유 결합으로 이루어진 무극성 분자이므로 $BF_3$가, ㉢은 무극성 공유 결합으로 이루어진 무극성 분자가 해당되므로 $Cl_2$가 해당된다.

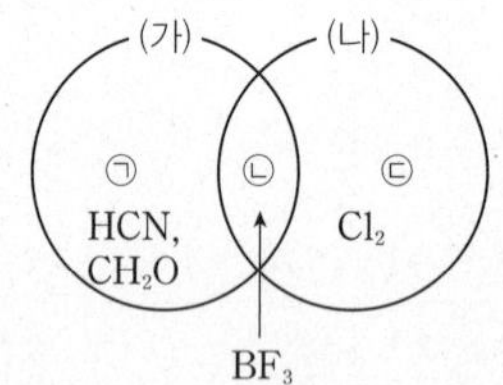


**정답 맞히기** ㄱ. ㉠에 해당하는 HCN와 $CH_2O$에는 모두 비공유 전자쌍이 있다.

ㄷ. ㉡과 ㉢에는 각각 1가지 분자가 해당된다.

**오답피하기** ㄴ. $BF_3$의 중심 원자인 B는 옥텟 규칙을 만족하지 않는다.

### 3 표준 용액 만들기

용액의 몰 농도는 $\dfrac{\text{용질의 양(몰)}}{\text{용액의 부피(L)}}$이다.

**정답 맞히기** ㄴ. NaOH 0.25몰을 질량으로 환산하기 위해서는 NaOH의 화학식량이 필요하다.

ㄷ. ㉠은 부피 플라스크이다.

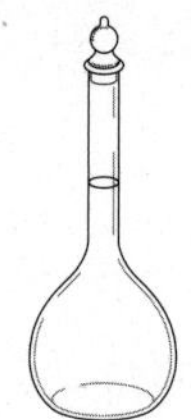

**오답피하기** ㄱ. 0.5 M NaOH 수용액 0.5 L에 들어 있는 NaOH의 양(몰)은 0.25몰이다.

### 4 $Fe_2O_3$의 환원 반응

(가)와 (나)의 화학 반응식은 다음과 같다.

(가) $2Fe_2O_3(s)+3C(s) \longrightarrow 4Fe(s)+3CO_2(g)$

(나) $Fe_2O_3(s)+3CO(g) \longrightarrow 2Fe(s)+3CO_2(g)$

**정답 맞히기** ㄴ. (가)와 (나)에서 $Fe_2O_3$은 산소를 잃고 환원되므로 산화제이다.

ㄷ. (가)와 (나)에서 모두 Fe 1몰이 생성될 때 $Fe_2O_3$ 0.5몰이 소모된다. 따라서 같은 질량의 Fe이 생성될 때 반응하는 $Fe_2O_3$의 질량은 (가)와 (나)가 같다.

**오답피하기** ㄱ. $a=2$이고, $b=3$이다.

### 5 동위 원소

분자량이 70, 72, 74로 3가지이므로 가능한 X의 원자량은 35와 37이다. 분자량 72를 2로 나누어 원자량 36인 동위 원소가 존재할 것이라고 생각하기 쉽지만, 원자량 36인 동위 원소가 있었다면 분자량이 71이나 73인 $X_2$도 존재하여야 한다.

**정답 맞히기** ㄴ. X의 양성자수가 $n$이므로 X의 중성자수는 $35-n$과 $37-n$이 가능하고, 이 중 큰 값은 $37-n$이다.

**오답피하기** ㄱ. X는 원자량 35, 37인 2가지 동위 원소가 존재한다.

ㄷ. X의 원자량은 35, 37의 2종류가 있는데 $X_2$의 분자량에 따른 존재 비율을 보면 분자량 70인 것이 74인 것보다 훨씬 많다. 이것으로부터 원자량 35인 것이 37인 것보다 많이 존재함을 알 수 있으므로 평균 원자량은 36이 아니라 36보다 작은 값임을 알 수 있다.

### 6 2주기 원소의 성질

A~C의 홀전자 수가 같으므로 A~C는 각각 홀전자 수가 1인 Li, B, F 중 하나이다. 따라서 $\dfrac{\text{전자가 들어 있는 } p \text{ 오비탈 수}}{\text{홀전자 수}}$가 A는 0이므로 리튬(Li), B는 1이므로 붕소(B), C는 플루오린(F)이다. D는 $\dfrac{\text{전자가 들어 있는 } p \text{ 오비탈 수}}{\text{홀전자 수}}$가 1.5이므로 산소(O)이다. 바닥상태의 원자 A~D의 전자 배치는 다음과 같다.

• A(Li): $1s^2 2s^1$
• B(B): $1s^2 2s^2 2p_x^{\ 1}$
• C(F): $1s^2 2s^2 2p_x^{\ 2} 2p_y^{\ 2} 2p_z^{\ 1}$
• D(O): $1s^2 2s^2 2p_x^{\ 2} 2p_y^{\ 1} 2p_z^{\ 1}$

**정답 맞히기** ㄱ. C는 플루오린(F)이므로 $\frac{\text{전자가 들어 있는 } p \text{ 오비탈 수}}{\text{홀전자 수}}=3$이다. 따라서 ㉠은 3이다.

ㄴ. $A_2D$는 금속인 A와 비금속인 D가 이온 결합하여 생성된 이온 결합 화합물이므로 용융 상태에서 전기 전도성이 있다.

ㄷ. $BC_3$는 원자가 전자 수가 3인 붕소(B)와 플루오린(F)이 공유 결합하여 생성된 공유 결합 화합물이다. 중심 원자인 붕소(B)에 비공유 전자쌍은 없고 3개의 단일 결합이 있으므로 평면 삼각형 구조이다. 따라서 $BC_3$ 분자의 쌍극자 모멘트는 0이다.

## 7 유효 핵전하와 제1 이온화 에너지

바닥상태에서 홀전자 수가 3인 C는 질소(N)로, 바닥상태에서 홀전자 수가 2인 원소 중에 N보다 제1 이온화 에너지가 큰 원소가 없으므로 (가)는 제1 이온화 에너지가 아니고 원자가 전자가 느끼는 유효 핵전하이다. 바닥상태에서 홀전자 수가 2이고 원자가 전자의 유효 핵전하가 N에서보다 큰 B는 산소(O)이고, 바닥상태에서 홀전자 수가 1이고 원자가 전자의 유효 핵전하가 O에서보다 큰 A는 플루오린(F)이다.

**정답 맞히기** ㄴ. 원자 번호는 B(O)가 C(N)보다 크다.

ㄷ. 제2 이온화 에너지는 제1 이온화 에너지에 의해 전자가 1개 떨어진 상태에서 다시 전자를 떼는 데 필요한 에너지로 16족 원소와 17족 원소의 제2 이온화 에너지 경향은 15족 원소와 16족 원소의 제1 이온화 에너지 경향과 같게 된다. 2주기 원소에서 제1 이온화 에너지는 15족>16족이고, 제2 이온화 에너지는 16족>17족으로 B(O)는 A(F)보다 제2 이온화 에너지가 크다.

**오답피하기** ㄱ. (가)는 원자가 전자가 느끼는 유효 핵전하이다.

## 8 기체의 밀도와 분자량

같은 온도와 압력에서 기체는 그 종류에 관계없이 같은 부피 속에 들어 있는 분자 수가 같으므로 같은 부피의 두 기체의 질량 비, 즉 기체의 밀도 비는 분자량 비와 같다.

**정답 맞히기** ㄱ. 기체 (가)~(다)의 밀도 비는 다음과 같다.

(가) : (나) : (다)$=\frac{1}{12}:\frac{4}{6}:\frac{22}{12}=1:8:22$

기체의 분자량 비는 (가) : (나) : (다)=1 : 8 : 22이다.

| 기체 | 분자식 | 부피(L) | 질량(g) | 분자량(상댓값) |
|---|---|---|---|---|
| (가) | $X_2$ | 12 | 1 | 1 |
| (나) | $YX_4$ | 6 | 4 | 8 |
| (다) | $YZ_2$ | 12 | 22 | 22 |

ㄴ. 분자량 비가 (가) : (나) : (다)$=X_2:YX_4:YZ_2=1:8:22=2:16:44$이므로 원자량 비는 X : Y : Z= 1 : 12 : 16이다. 따라서 원자량은 Z가 Y보다 크다.

ㄷ. (가), (나)의 분자식이 각각 $X_2$, $YX_4$이고, 분자량 비가 (가) : (나)=1 : 8이므로 1 g에 들어 있는 X 원자 수 비는 (가) : (나)$=\frac{2}{1}:\frac{4}{8}=4:1$이다. 따라서 1 g에 들어 있는 X 원자 수는 (가)가 (나)의 4배이다.

## 9 중화 반응과 이온의 양적 관계

(가)와 (나)를 비교하면 혼합 전 HCl($aq$)의 부피가 같고 혼합 후 혼합 용액 내 양이온 수는 (나)가 크므로 (나)는 염기성이다. 따라서 혼합 전 HCl($aq$) 5 mL에 들어 있는 $H^+$ 수는 $15N$이다. 또, HCl($aq$) 6 mL에 들어 있는 $H^+$ 수는 $18N$이므로 (다)는 염기성이다. 1 mL에 들어 있는 $OH^-$ 수를 NaOH($aq$)이 $a$, KOH($aq$)이 $b$라고 하면, $5a+7b=17N$, $5a+10b=20N$이므로 $a=2$, $b=1$이다. 따라서 NaOH($aq$) 3 mL에 들어 있는 $OH^-$ 수는 $6N$이고 KOH($aq$) 3 mL에 들어 있는 $OH^-$ 수는 $3N$이다.

| 용액 | 혼합 전 용액 속에 들어 있는 $H^+$ 또는 $OH^-$ 수 | | | 생성된 물 분자 수 | 액성 |
|---|---|---|---|---|---|
| | HCl($aq$) | NaOH($aq$) | KOH($aq$) | | |
| (가) | $15N$ | $6N$ | $3N$ | $9N$ | 산성 |
| (나) | $15N$ | $10N$ | $7N$ | $15N$ | 염기성 |
| (다) | $18N$ | $10N$ | $10N$ | $18N$ | 염기성 |

**정답 맞히기** ㄱ. (가)에서 생성된 물 분자 수는 $9N$이다.

ㄴ. 단위 부피당 이온 수 비는 NaOH($aq$) : KOH($aq$)=2 : 1이다.

**오답피하기** ㄷ. (가)에 $H^+$ $6N$, (나)에 $OH^-$ $2N$이 있으므로 (가)와 (나)를 혼합한 용액은 산성이다.

## 10 기체 반응에서의 양적 관계

분자량 비는 A : B=7 : 8이므로 (가)에서 A와 B의 몰 비는 A : B$=\frac{7w}{7}:\frac{16w}{8}=1:2$이다. 전체 기체의 부피가 6 L이므로 A, B의 부피는 각각 2 L, 4 L이다.

기체의 부피는 분자 수(몰)에 비례한다. (가)~(다)에서 반응 전 전체 기체의 부피를 비교해 A와 B의 질량과 부피를 구하면 ㉠은 $14w$, ㉡은 $24w$라는 것을 알 수 있다.

표는 (가)~(다)에서 반응 전과 후 기체에 대한 자료이다.

| 실험 | 반응 전 | | | | | 반응 후 전체 기체의 부피(L) |
|---|---|---|---|---|---|---|
| | A | | B | | 전체 기체의 부피(L) | |
| | 질량(g) | 부피(L) | 질량(g) | 부피(L) | | |
| (가) | $7w$ | 2 | $16w$ | 4 | 6 | 4 |
| (나) | $14w$(㉠) | 4 | $16w$ | 4 | 8 | 6 |
| (다) | $7w$ | 2 | $24w$(㉡) | 6 | 8 | 6 |

정답 맞히기 ㄱ. 반응 후 전체 기체의 부피가 감소하므로 기체 분자 수가 감소하는 반응이며, 감소하는 부피는 반응량에 비례한다. (가)~(다)에서 감소한 부피가 모두 같으므로 반응량은 모두 같다. 따라서 (가)~(다)에서 생성된 C의 질량은 모두 같다. (가)~(다)에서 모두 A $7w$ g($=2$ L)과 B $16w$ g($=4$ L)이 반응한다. (나)에서는 A $7w$ g($=2$ L)이 남고, (다)에서는 B $8w$ g($=2$ L)이 남는다.

ㄴ. (가)에서는 A와 B가 모두 반응하여 반응 후 C만 존재하므로, A 2 L와 B 4 L가 반응하여 C 4 L를 생성한다는 것을 알 수 있다. 따라서 반응 부피 비는 A : B : C $=2:4:4=1:2:2$이고, 이는 반응 계수 비와 같으므로 기체 반응의 화학 반응식은 $A+2B \longrightarrow 2C$이다. 반응 계수 $a=1$, $b=2$이므로 $a+b=3$이다.

ㄷ. ㉠은 $14w$, ㉡은 $24w$이므로 ㉠+㉡$=38w$이다.

## 11회 미니모의고사

본문 38~41쪽

| 1 ④ | 2 ① | 3 ③ | 4 ② | 5 ③ |
|---|---|---|---|---|
| 6 ④ | 7 ② | 8 ③ | 9 ① | 10 ⑤ |

### 1 분자의 분류

$CO_2$, $CH_2O$, $CH_2Cl_2$의 루이스 구조식은 다음과 같다.

:Ö=C=Ö: H−C(=O:)−H H−C(−:Cl:)(−:Cl:)−H

$CO_2$는 직선형 구조의 무극성 분자이며 2중 결합이 있고, $CH_2O$는 평면 삼각형 구조의 극성 분자이며 2중 결합이 있고, $CH_2Cl_2$는 사면체형 구조의 극성 분자이며 다중 결합이 없다.

정답 맞히기 ㄴ. $CO_2$는 2중 결합 2개가 있고, $CH_2O$에는 2중 결합 1개가 있으므로 (가)가 '다중 결합이 존재하는가?'이면 ㉠은 $CO_2$이고, ㉡은 $CH_2O$, ㉢은 $CH_2Cl_2$이 된다. 따라서 (가)에는 '다중 결합이 존재하는가?'를 적용할 수 있다.

ㄷ. 분자 구조가 $CO_2$는 직선형, $CH_2O$는 평면 삼각형, $CH_2Cl_2$은 사면체형이므로 (가)가 '구성 원자가 모두 동일 평면에 존재하는가?'이면 ㉠은 $CO_2$이고, ㉡은 $CH_2O$, ㉢은 $CH_2Cl_2$이 된다. 따라서 (가)에는 '구성 원자가 모두 동일 평면에 존재하는가?'를 적용할 수 있다.

오답피하기 ㄱ. $CH_2O$, $CH_2Cl_2$은 극성 분자이고, $CO_2$는 무극성 분자이므로 (가)가 '극성 분자인가?'이면 ㉢은 $CO_2$이지만, ㉠에 해당하는 분자가 존재하지 않는다. 따라서 (가)에는 '극성 분자인가?'를 적용할 수 없다.

### 2 분자의 극성과 용해도

무극성 분자인 $I_2$은 무극성 용매인 사이클로헥세인($C_6H_{12}$)에 잘 용해되며, 극성 용매인 물($H_2O$)에는 거의 용해되지 않는다.

정답 맞히기 ㄱ. $I_2$은 무극성 공유 결합으로 이루어진 무극성 분자이다.

오답피하기 ㄴ. $H_2O$은 굽은 형 구조의 극성 분자로 분자의 쌍극자 모멘트가 0이 아니다.

ㄷ. $I_2$의 용해가 잘 일어나는 시험관은 시험관 A이다.

### 3 이온 결합과 공유 결합의 형성

원자가 전자 수는 A가 1, B가 6이다. A는 $A^+$이 되고 B는 $B^{2-}$이 되어 2 : 1의 이온 수 비로 결합하여 $A_2B$를 만든다.

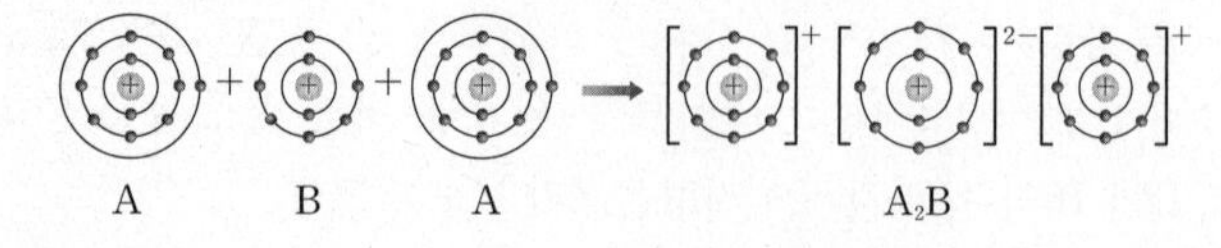

A + B + A → $[A]^+[B]^{2-}[A]^+$

A B A $A_2B$

원자가 전자 수는 B가 6, C가 7이다. B와 C는 1 : 2의 원자 수 비로 결합하여 $BC_2$를 만든다.

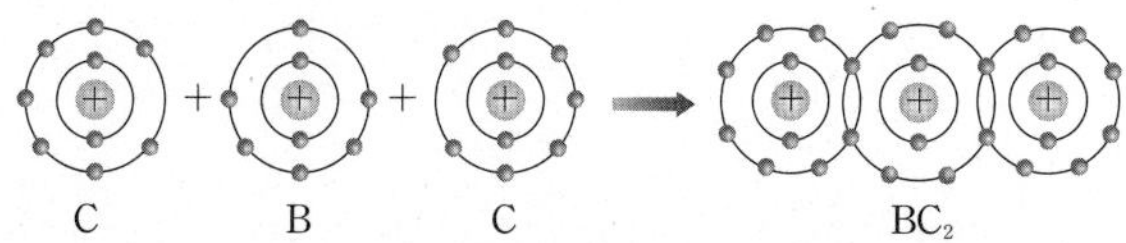


원자 A~C를 구성하는 입자와 원소 기호는 다음과 같다.

| 원자 | 전자 수 | 양성자수 | 원소 기호 |
|---|---|---|---|
| A | 11 | 11 | Na |
| B | 8 | 8 | O |
| C | 9 | 9 | F |

$A_2B$는 산화 나트륨($Na_2O$)이고 $BC_2$는 플루오린화 산소($OF_2$)이다.

**정답 맞히기** ㄱ. $A_2B$는 산화 나트륨($Na_2O$)으로 이온 결합 물질이다. 액체 상태의 이온 결합 물질은 전기 전도성이 있다.

ㄴ. $A_2B$는 산화 나트륨($Na_2O$)이고 $BC_2$는 플루오린화 산소($OF_2$)이다. 두 화합물에서 B(O)는 모두 옥텟 규칙을 만족한다.

**오답피하기** ㄷ. $BC_2(OF_2)$의 공유 전자쌍 수는 2이고 비공유 전자쌍 수는 8이다. 따라서 공유 전자쌍 수와 비공유 전자쌍 수의 차는 6이다.

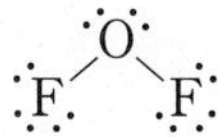

## 4 바닥상태 전자 배치

Y에서 (다)에 들어 있는 전자 수가 3인데, 1*s* 오비탈과 2*s* 오비탈에는 전자가 3개 들어갈 수 없으므로 (다)는 2*p* 오비탈이고, X의 바닥상태 전자 배치에서 (가), (나)에 들어 있는 전자 수가 각각 1, 2인데, 1*s* 오비탈에 전자 2개가 채워지지 않은 채 2*s* 오비탈에 전자가 들어 있는 것은 바닥상태가 아니므로 (나)가 1*s* 오비탈, (가)가 2*s* 오비탈이다. 따라서 X는 바닥상태 전자 배치가 $1s^22s^1$인 리튬(Li)이고, Y는 바닥상태 전자 배치가 $1s^22s^22p^3$인 질소(N)이다.

**정답 맞히기** ㄷ. 홀전자가 들어 있는 오비탈의 수는 X가 1, Y가 3으로 Y가 X의 3배이다.

**오답피하기** ㄱ. *a*는 0, *b*는 2로 *b*가 *a*보다 크다.

ㄴ. (나)는 1*s* 오비탈이다.

## 5 수용액의 농도

% 농도는 $\frac{\text{용질의 질량(g)}}{\text{용액의 질량(g)}} \times 100$이고, 몰 농도(M)는 $\frac{\text{용질의 양(몰)}}{\text{용액의 부피(L)}}$이다.

**정답 맞히기** ㄱ. 1 M NaOH 수용액은 용액 1000 mL에 NaOH 1몰이 녹아 있는 용액이다. 따라서 이 수용액 500 mL에 녹아 있는 NaOH의 양(몰)은 0.5몰이고, NaOH의 화학식량이 40이므로 NaOH의 질량은 20 g이다. % 농도는 $\frac{\text{용질의 질량(g)}}{\text{용액의 질량(g)}} \times 100$이므로 20 g의 NaOH이 녹아 있는 10% 수용액의 질량은 $\frac{100}{10} \times 20 = 200$(g)이다.

ㄷ. 수용액 (나)의 밀도가 *d* g/mL이므로 수용액 500 mL의 질량은 500*d* g이다. 또한 이 수용액에 녹아 있는 NaOH의 질량은 20 g이다. 따라서 이 수용액의 % 농도는 $\frac{20}{500d} \times 100 = \frac{4}{d}$(%)이다.

**오답피하기** ㄴ. 1 M의 NaOH(*aq*) 500 mL를 만들기 위해 필요한 10% NaOH(*aq*)의 질량은 200 g이다. 또한 1 M의 NaOH(*aq*) 500 mL의 질량은 500*d* g이고, 용질의 질량은 변하지 않으므로 추가해야 할 물의 질량은 두 수용액의 질량 차인 ($500d-200$) g이다.

## 6 순차 이온화 에너지

2, 3주기 원소 중에서 같은 주기의 1~15족 원소의 순차 이온화 에너지의 크기는 다음과 같다.

제1 이온화 에너지: 1족 < 13족 < 2족 < 14족 < 15족

제2 이온화 에너지: 2족 < 14족 < 13족 < 15족 < 1족

원자가 전자 수는 X~Z가 각각 3~5이므로 X는 13족 원소, Y는 14족 원소, Z는 15족 원소이다. X와 Y가 같은 주기라면 제2 이온화 에너지는 X가 Y보다 커야 하지만, 제시된 자료에서는 Y가 X보다 크므로 Y는 2주기 14족 원소이고, X는 3주기 13족 원소이다. Y와 Z가 같은 주기라면 제2 이온화 에너지는 Z가 Y보다 커야 하지만, 제시된 자료에서는 Y가 Z보다 크므로 Z는 3주기 15족 원소이다.

**정답 맞히기** ㄴ. 같은 주기에서 제1 이온화 에너지는 13족 원소가 14족 원소보다 작고, 주기는 Y가 X보다 작으므로 제1 이온화 에너지는 Y가 X보다 크다.

ㄷ. 같은 주기에서 원자 번호가 큰 원소일수록 원자가 전자가 느끼는 유효 핵전하가 크므로 원자가 전자가 느끼는 유효 핵전하는 Z가 X보다 크다.

**오답피하기** ㄱ. 2주기 원소는 Y, 3주기 원소는 X와 Z이다.

## 7 화학 반응식에서의 양적 관계

물 9 g은 0.5몰이고 $H_2(g)$ 1몰이 반응해야 $H_2O(l)$ 1몰이 생성되므로 반응한 $H_2(g)$는 0.5몰이다.

**정답 맞히기** ㄷ. 1단계에서 화학 반응식의 계수를 맞춰 보면 $a=1$, $b=2$, $c=1$이므로 $H_2(g)$ 0.5몰이 생성되려면 M(*s*)도 0.5몰이 반응했어야 한다. 따라서 반응한 M(*s*)은 0.5몰, 즉 12 g이므로 M의 원자량은 24이다.

**오답피하기** ㄱ. 화학 반응 전과 후에 원자 수는 변하지 않으므로 원자 수가 같도록 화학 반응식의 계수를 맞춰 보면 $a=1$, $b=2$, $c=1$이다. 따라서 $a+b+c=4$이다.

ㄴ. 물 9 g은 0.5몰이고 $H_2(g)$ 1몰이 반응해야 $H_2O(l)$ 1몰이 생성되므로 발생한 $H_2(g)$는 0.5몰이다.

## 8 산화 환원 반응

A의 반응 전 산화수와 반응 후 산화수의 차가 −8이고 화학 반응식에서 A의 산화수 변화의 총합과 C의 산화수 변화의 총합이 같아야 한다. C는 화학 반응식에서 총 원자 수가 4개이고, 반응 전 산화수가 0이므로 반응 후 C의 산화수는 −2이다.

**정답 맞히기** ㄱ. 반응 전과 후의 원자의 수가 같아야 하므로 $x=2$, $y=2$이다.

ㄴ. C의 반응 후 산화수가 −2이고, 반응 전 산화수가 0이므로 $z=2$이다.

**오답피하기** ㄷ. 산화수의 변화가 없는 B의 산화수가 +1이므로 반응물 $AB_4$에서 A의 산화수는 −4이다. 따라서 전기 음성도는 A>B이다. 또한 생성물 $B_2C$와 $AC_2$에서 C의 산화수가 −2이므로 전기 음성도는 C>B, C>A이다. 따라서 전기 음성도의 크기는 C>A>B이다.

## 9 기체 반응에서의 양적 관계

(가)에서 반응 전 A와 B의 부피 비를 1 : 1로 넣고 반응시켰을 때 B가 모두 반응하고 A가 남았으므로 A의 반응 계수 $a$는 B의 반응 계수 2보다 작아야 한다. 따라서 기체 반응의 화학 반응식은 $A+2B \longrightarrow 2C$이다.

(가), (나)에서 반응 전과 후 부피 관계는 다음과 같다.

| (가) | A | + 2B → | 2C |
|---|---|---|---|
| 반응 전 | $V_1$ | $V_1$ | 0 |
| 반응 | $-\frac{1}{2}V_1$ | $-V_1$ | $+V_1$ |
| 반응 후 | $\frac{1}{2}V_1$ | 0 | $V_1$ |

| (나) | A | + 2B → | 2C |
|---|---|---|---|
| 반응 전 | $V_2$ | $3V_2$ | 0 |
| 반응 | $-V_2$ | $-2V_2$ | $+2V_2$ |
| 반응 후 | 0 | $V_2$ | $2V_2$ |

**정답 맞히기** ㄱ. (가)에서 B가 모두 반응하고 A가 남았으므로 A의 반응 계수 $a$는 B의 반응 계수 2보다 작아야 한다. 따라서 $a=1$이다.

**오답피하기** ㄴ. (가)에서 반응 후 전체 기체의 부피가 36 L이므로 $\frac{1}{2}V_1+V_1=36$에서 $V_1=24$이다. (나)에서 반응 후 전체 기체의 부피가 72 L이므로 $V_2+2V_2=72$에서 $V_2=24$이다. 따라서 $V_1=V_2$이다.

ㄷ. 기체 1몰의 부피는 24 L이다. (가)에서 남은 A 16 g의 부피가 12 L이므로 A의 분자량은 32이다. (나)에서 남은 B 28 g의 부피가 24 L이므로 B의 분자량은 28이다.

반응 질량 비는 A : B : C=32 : 56 : 88이고, 반응 몰 비는 A : B : C=1 : 2 : 2이다. 따라서 분자량 비는 A : B : C= $\frac{32}{1}:\frac{56}{2}:\frac{88}{2}$=8 : 7 : 11이므로 $\frac{\text{C의 분자량}}{\text{A의 분자량}}=\frac{11}{8}$이다.

## 10 2가지 산과 1가지 염기의 중화 반응

단위 부피가 1 mL일 때 혼합 용액의 부피에 단위 부피당 총 이온 수를 곱하면 실제 이온 수가 된다.

(가)~(다)의 부피가 각각 40, 80, 60이므로 실제 총 이온 수는 (가) $200N$, (나) $800N$, (다) $240N$이다.

(가)와 (나)의 총 이온 수 비가 1 : 4이므로 (가), (나)는 모두 염기성이며, $NaOH(aq)$은 10 mL에 $200N$의 이온이 있고, (다)는 산성이다.

단위 부피당 X 이온 수가 (다)에서 0이므로 X 이온은 $OH^-$이며, Y 이온은 $Cl^-$ 또는 $Br^-$이다.

Y 이온의 총 이온 수는 (가) $40N$, (나) $80N$이므로 Y 이온은 $Br^-$이며, $HBr(aq)$ 10 mL에 총 $80N$의 이온이 있다. (다)에서 총 이온 수가 $240N$인데, $HBr(aq)$에 $80N$이 있으므로 $HCl(aq)$ 40 mL에는 $160N$이 있다.

**정답 맞히기** ㄱ. (나)에서 $HCl(aq)$에는 $80N$, $HBr(aq)$에는 $160N$, $NaOH(aq)$에는 $800N$의 이온이 있으므로 X 이온($OH^-$)은 $280N$이 용액 80 mL에 들어 있다. 따라서 $x=\frac{7}{2}$이다.

ㄴ. (다)에서 $Br^-$은 $40N$이 용액 60 mL에 들어 있으므로 $y=\frac{2}{3}$이다.

ㄷ. 10 mL 속의 이온 수는 $HCl(aq)$에 $40N$, $HBr(aq)$에 $80N$, $NaOH(aq)$에 $200N$이 있으므로 단위 부피당 이온 수는 1 : 2 : 5이다.

## 12회 미니모의고사

본문 42~45쪽

| 1 ② | 2 ① | 3 ③ | 4 ⑤ | 5 ③ |
|---|---|---|---|---|
| 6 ③ | 7 ② | 8 ② | 9 ⑤ | 10 ④ |

### 1 산화 환원 반응

(가)에서는 산화수의 변화가 있는 원자가 없다. (나)에서는 Zn의 산화수가 0에서 +2로 증가하고, Mn의 산화수는 +4에서 +3으로 감소한다.

**정답 맞히기** ㄷ. (나)에서 $MnO_2$는 $Mn_2O_3$로 되면서 Mn의 산화수가 감소하므로 자신은 환원되고 Zn을 산화시키는 산화제이다.

**오답피하기** ㄱ. 반응 전 $NH_4Cl$과 반응 후 $ZnCl_2$에서 Cl의 원자 수를 같게 하여 반응 계수를 맞추면 $a=2$이다.

ㄴ. (가)에서는 반응 전과 후에 산화수의 변화가 있는 원자가 없으므로 산화 환원 반응이 아니다.

### 2 이온 결합 물질과 공유 결합 물질

A는 수소(H), B는 플루오린(F), C는 마그네슘(Mg), D는 산소(O)이다. 화합물 (가)는 $MgH_2$, (나)는 $H_2O_2$, (다)는 $MgF_2$으로 (가)와 (다)는 이온 결합 물질, (나)는 공유 결합 물질이다.

**정답 맞히기** ㄱ. (가) $MgH_2$과 (다) $MgF_2$은 모두 금속 양이온과 비금속 음이온 사이의 전기적 인력에 의해 결합한 이온 결합 물질이다.

**오답피하기** ㄴ. (나)는 과산화 수소($H_2O_2$)이고 구조식은 H−O−O−H이다. 과산화 수소 한 분자에서 각 산소 원자는 비공유 전자쌍을 2개씩 가지므로 전체 비공유 전자쌍 수는 4이고, 공유 전자쌍 수는 3이다. 따라서 (나)에서 공유 전자쌍 수와 비공유 전자쌍 수는 같지 않다.

ㄷ. A는 수소(H)로 대부분의 화합물에서 수소의 산화수는 +1이지만, 금속의 수소 화합물에서 수소의 산화수는 −1이다. 따라서 (나) $H_2O_2$에서 수소의 산화수는 +1이지만 금속 수소 화합물인 (가) $MgH_2$에서 수소의 산화수는 −1이다.

### 3 2, 3주기 원소의 성질

2주기 1, 2족 원소는 리튬(Li), 베릴륨(Be)이고, 3주기 1, 2, 13족 원소는 나트륨(Na), 마그네슘(Mg), 알루미늄(Al)이다. 홀전자 수는 B=C>A이고, 원자가 전자의 주양자수는 A>C인 경우는 다음과 같다.

| ① | 1족 | 2족 | 13족 |
|---|---|---|---|
| 2주기 | C | | |
| 3주기 | B | A | |

| ② | 1족 | 2족 | 13족 |
|---|---|---|---|
| 2주기 | C | | |
| 3주기 | | A | B |

원자 반지름은 A>B이므로 ②에 해당된다. 따라서 A는 마그네슘, B는 알루미늄, C는 리튬이다.

**정답 맞히기** ㄱ. A는 마그네슘이므로 3주기 원소이다.

ㄷ. A는 2족 원소인 마그네슘이고, B는 13족 원소인 알루미늄이므로 제1 이온화 에너지는 A가 B보다 크다.

**오답피하기** ㄴ. B는 13족 원소이고, C는 1족 원소이므로 B와 C는 다른 족 원소이다.

### 4 화학 반응식 꾸미기

**정답 맞히기** ㄱ. 반응 전 용기에 들어 있는 A와 B는 각각 4몰, 7몰이고, (나)에서 용기에 들어 있는 A~C가 각각 2몰, 1몰, 4몰이므로 A 2몰과 B 6몰이 반응하여 C 4몰이 생성되었음을 알 수 있다. 따라서 화학 반응식은 A+3B ⟶ 2C이고, 반응 몰 비는 A : B=1 : 3이다.

ㄴ. (가)에서 용기에 들어 있는 A와 B가 각각 3몰, 4몰이므로 A 1몰과 B 3몰이 반응하였고 생성된 C는 2몰이다.

ㄷ. (나)에서 B 2몰을 추가하여 반응시키면, 용기에 들어 있는 기체는 A 1몰과 C 6몰로 전체 분자의 양(몰)은 7몰이다.

### 5 분자의 구조

모든 원자가 옥텟 규칙을 만족하려면 중심 원자 주위의 공유 전자쌍 수와 비공유 전자쌍 수의 합이 4이어야 한다. (가)는 중심 원자의 비공유 전자쌍이 없고 중심 원자와 결합한 원자 수가 2이므로, 중심 원자와 결합한 원자는 단일 결합 1개와 3중 결합 1개 또는 2개의 2중 결합으로 이루어져 있다. (나)는 중심 원자와 결합한 원자가 3개이고 비공유 전자쌍이 1개이므로 모두 단일 결합이고 분자 모양은 삼각뿔형이다. (다)는 중심 원자와 결합한 원자가 4개이므로 모두 단일 결합이고 분자 모양은 사면체형이다. (가)~(다)는 2주기 원소로 이루어진 분자이며 모든 원자는 옥텟 규칙을 만족하므로 다음과 같은 분자가 이에 해당한다.

(가) :F̤̈−C≡N:  (나) F−N(−F)−F (N에 비공유 전자쌍 1개)  (다) F−C(−F)(−F)−F

**정답 맞히기** ㄱ. 다중 결합이 존재하는 것은 중심 원자와 결합한 원자 수와 중심 원자의 비공유 전자쌍 수의 합이 4가 되지 않는 (가) 1가지이다.

ㄴ. 비공유 전자쌍은 (가)는 F에 3개, N에 1개이므로 4개이고, (다)는 F에 3개씩 12개이다. 따라서 비공유 전자쌍 수는 (다)가 (가)의 3배이다.

**오답피하기** ㄷ. (가)는 직선형, (나)는 삼각뿔형, (다)는 사면체형으로 결합각의 크기는 (가)>(다)>(나)이다. 비공유 전자쌍과 공유 전자쌍 사이의 반발력이 공유 전자쌍 사이의 반발력보다 크므로 결합각은 (나)가 (다)보다 작다.

## 6 제2 이온화 에너지

제2 이온화 에너지는 제1 이온화 에너지보다 전자를 1개 더 떼어 내는 데 필요한 에너지이므로 제1 이온화 에너지에서 주기적 성질을 파악하면 그보다 1개의 전자를 더 갖는 원자로 생각하면 된다. 따라서 A는 14족 원소인 C(탄소), B는 15족 원소인 N(질소), C는 16족 원소인 O(산소)이다.

**정답 맞히기** ㄱ. 전기 음성도는 같은 주기의 원소에서는 원자 번호가 증가할수록 크므로 C는 B보다 크다.

ㄴ. A는 14족, C는 16족 원소이므로 바닥상태 전자 배치에서 홀전자 수는 A와 C에서 2이다.

**오답피하기** ㄷ. A는 14족, B는 15족, C는 16족 원소이므로 제1 이온화 에너지가 가장 큰 것은 $2p$ 오비탈에 전자가 각각 1개씩 배치되어 있는 15족 원소인 B이다.

## 7 기체의 질량과 부피, 원자량

온도와 압력이 같을 때 기체의 종류에 관계없이 같은 부피에 들어 있는 분자 수가 같다. 1 g의 부피는 밀도에 반비례하고, 온도와 압력이 같을 때 기체의 밀도는 분자량에 비례하므로 1 g의 부피는 분자량에 반비례한다. 따라서 (가)와 (나)의 1 g의 부피 비가 15 : 14이므로 분자량 비는 (가) : (나)=14 : 15이다.

**정답 맞히기** $t$°C, 1기압에서 기체 1몰의 부피가 24 L이고, (나) 6 L의 질량이 7.5 g이므로 24 L의 질량 30 g은 (나) 1몰의 질량이다. 따라서 (나)의 분자량은 30이다. 또한 분자량 비는 (가) : (나)=14 : 15이므로 (가)의 분자량은 28이며, (가) $a$몰의 질량이 14 g이므로 $a=0.5$이다. 따라서 XY, ZY, $Z_2Y$의 분자량은 각각 28, 30, 44이고, X~Z의 원자량을 각각 $x$~$z$라 하면, $x+y=28$, $y+z=30$, $y+2z=44$가 성립하므로 이를 풀면 $x=12$, $y=16$, $z=14$이다. 그러므로 $\frac{\text{Y의 원자량}}{\text{X의 원자량}}\times a=\frac{16}{12}\times 0.5=\frac{2}{3}$이다.

## 8 오비탈과 전자 배치

바닥상태의 2주기 원자에서 $2s$ 오비탈과 $2p$ 오비탈의 전자 수는 다음과 같다.

| 원자 | $2s$ 오비탈의 전자 수 | $2p$ 오비탈의 전자 수 |
|---|---|---|
| Li | 1 | 0 |
| Be | 2 | 0 |
| B | 2 | 1 |
| C | 2 | 2 |
| N | 2 | 3 |
| O | 2 | 4 |
| F | 2 | 5 |
| Ne | 2 | 6 |

빗금 친 영역이 $2s$ 오비탈의 전자 수의 비율이라면 W가 탄소(C), X가 붕소(B), Y가 산소(O)인데, Z에 해당하는 원소가 존재하지 않는다. 따라서 빗금 친 영역은 $2p$ 오비탈의 전자 수의 비율이며, W~Z는 각각 C, O, B, N이다.

**정답 맞히기** ㄴ. 원자 번호는 X(O)가 8, Z(N)가 7로, X가 Z보다 크다.

**오답피하기** ㄱ. 홀전자 수는 W(C)가 2, Y(B)가 1로, W와 Y가 같지 않다.

ㄷ. Y(B)의 전자 배치는 $1s^2 2s^2 2p^1$로 $\frac{\text{전자가 들어 있는 } p \text{ 오비탈 수}}{\text{전자가 들어 있는 } s \text{ 오비탈 수}}=\frac{1}{2}$이다.

## 9 기체 반응에서의 양적 관계

일정량의 A가 들어 있는 실린더에 B를 넣어 가면서 반응시킨 결과를 보면, B를 넣기 전 기체의 부피가 24 L이므로 실린더에 A 24 L, 즉 1몰이 들어 있었다는 것을 알 수 있다. 반응 후 전체 기체의 부피 변화를 보면 B 16 g을 넣은 (가)에서 A와 B가 모두 반응하여 C 24 L, 즉 1몰을 생성한다는 것을 알 수 있다. 반응이 완결된 (가) 이후 B 16 g을 더 넣었을 때 전체 기체의 부피가 12 L 증가하였으므로 B 16 g의 부피는 12 L라는 것을 알 수 있다.

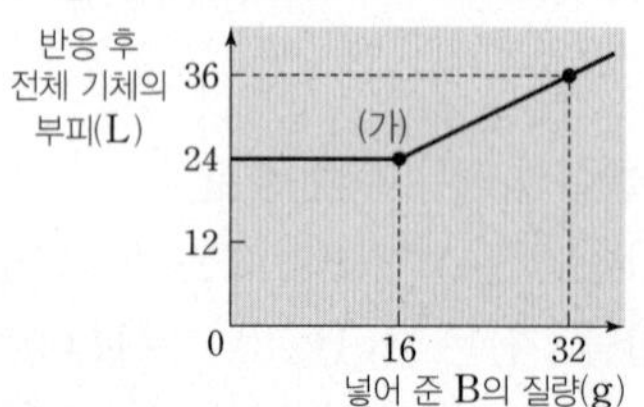


A 24 L에 B 12 L를 넣은 (가)에서 A와 B가 모두 반응하여 C 24 L를 생성하였으므로 반응 부피 비는 A : B : C=2 : 1 : 2이다. 따라서 주어진 반응의 화학 반응식은 2A+B ⟶ 2C이다.

**정답 맞히기** ㄱ. 반응 전 A의 부피는 B를 넣기 전 기체의 부피인 24 L이다. 따라서 반응 전 A의 양(몰)은 1몰이다.

ㄴ. 반응 계수 $b=1$, $c=2$이므로 $b+c=3$이다.

ㄷ. 기체 1몰의 부피가 24 L이다. B 16 g의 부피가 12 L이므로 B의 분자량은 32이다.

## 10 산과 염기의 중화 반응과 양적 관계

HCl($aq$)과 NaOH($aq$)을 혼합하여 반응시킬 때, 혼합 용액의 액성이 산성이라면 혼합 용액 속에 들어 있는 이온의 총수는 2×($Cl^-$의 수)와 같고, 혼합 용액의 액성이 염기성이라면 혼합 용액 속에 들어 있는 이온의 총수는 2×($Na^+$의 수)와 같다.

(가)에서 NaOH($aq$) $V_1$ mL에 들어 있는 총 이온 수가 $N$이었는데, HCl($aq$) $V_2$ mL를 혼합하였을 때 총 이온 수가 $3N$이 되었으므로 혼합 용액 (나)는 산성 용액이며, 이온의 총수는 2×($Cl^-$의 수)와 같다. 따라서 HCl($aq$) $V_2$ mL에 들어 있는 $H^+$ 수와 $Cl^-$ 수는 각각 $1.5N$이다.

(다)에서 KOH($aq$) $V_1$ mL를 혼합했을 때 총 이온 수가 $4N$이 되었으므로 (다)는 염기성 용액이며, 이온의 총수는 2×($Na^+$의 수+$K^+$의 수)와 같다. 따라서 KOH($aq$) $V_1$ mL에 들어 있는 $OH^-$ 수와 $K^+$ 수는 각각 $\frac{3}{2}N$이다.

(가)~(다)에 들어 있는 이온의 양적 관계를 나타내면 다음과 같다.

| 실험 | | (가) | (나) | (다) |
|---|---|---|---|---|
| 용액의 부피(mL) | $NaOH(aq)$ | $V_1$ | $V_1$ | $V_1$ |
| | $HCl(aq)$ | 0 | $V_2$ | $V_2$ |
| | $KOH(aq)$ | 0 | 0 | $V_1$ |
| 이온의 총수 | | $N$ | $3N$ | $4N$ |
| 용액 속에 들어 있는 이온의 종류와 수 | | $Na^+$ $0.5N$<br>$OH^-$ $0.5N$ | $Na^+$ $0.5N$<br>$H^+$ $N$<br>$Cl^-$ $1.5N$ | $Na^+$ $0.5N$<br>$K^+$ $1.5N$<br>$OH^-$ $0.5N$<br>$Cl^-$ $1.5N$ |
| 각 과정에서 중화 반응에 의해 생성된 물 분자 수 | | 0 | $0.5N$ | $N$ |

**정답 맞히기** ㄴ. (나)에서 $OH^-$ $0.5N$과 $H^+$ $0.5N$이 반응하여 물 $0.5N$이 생성되고, $H^+$ $N$이 남는다. (다)에서는 (나)에서 남은 $H^+$ $N$과 $OH^-$ $N$이 반응하여 물 $N$이 생성되고 $OH^-$ $0.5N$이 남는다. 따라서 (나)와 (다) 과정에서 각각 중화 반응에 의해 생성된 물의 몰 비는 (나) : (다)=1 : 2이다.

ㄷ. 혼합 용액의 단위 부피당 이온 수가 (가)~(다)에서 모두 같으므로 혼합 용액의 부피는 총 이온 수에 비례한다. (나)의 부피가 (가)의 부피의 3배이므로 $V_2=2V_1$이다. 또한 $HCl(aq)$ $V_2$ mL에 들어 있는 $H^+$ 수가 $1.5N$이므로 $HCl(aq)$ $\frac{2}{3}V_1$ mL에 들어 있는 $H^+$ 수는 $0.5N$이다. (다)에는 $0.5N$의 $OH^-$이 남아 있으므로 $HCl(aq)$ $\frac{2}{3}V_1$ mL를 더 넣으면 $0.5N$의 $H^+$과 $0.5N$의 $OH^-$이 모두 반응하여 혼합 용액은 중성이 된다.

**오답피하기** ㄱ. 혼합 전 $HCl(aq)$ $V_2$ mL에 들어 있는 총 이온 수는 $3N$이고 $KOH(aq)$ $V_1$ mL에 들어 있는 총 이온 수는 $3N$이다. 따라서 혼합 전 단위 부피당 이온 수 비는

$HCl(aq) : KOH(aq)=\frac{3N}{2V_1} : \frac{3N}{V_1}=1 : 2$이다.

## 13회 미니모의고사

본문 46~48쪽

| | | | | |
|---|---|---|---|---|
| 1 ② | 2 ③ | 3 ③ | 4 ③ | 5 ① |
| 6 ⑤ | 7 ④ | 8 ③ | 9 ① | 10 ② |

### 1 물의 전기 분해

(가)는 $A_2B(H_2O)$의 화학 결합 모형이다. (나)에서 소량의 황산 나트륨을 넣고 $H_2O(l)$을 전기 분해하면 발생하는 기체의 몰 비는 $H_2(g) : O_2(g)=2 : 1$이므로 ㉠은 수소($H_2$), ㉡은 산소($O_2$)이다.

**정답 맞히기** ㄴ. ㉠은 $A_2(H_2)$이다.

**오답피하기** ㄱ. $A_2B(H_2O)$는 공유 결합 물질이다.

ㄷ. ㉡은 산소($O_2$)이며, $A_2B(H_2O)$ 1몰이 분해될 때 $O_2$ $\frac{1}{2}$몰이 생성된다.

### 2 화학 결합 모형

물질 ABC는 LiOH이고, $DB_2$는 $CO_2$이다.

**정답 맞히기** ㄱ. $A_2B(Li_2O)$는 이온 결합 물질이고 $DC_4(CH_4)$는 공유 결합 물질이므로 액체 상태에서 전기 전도성은 $A_2B$가 $DC_4$보다 크다.

ㄴ. $B_2(O_2)$와 $DC_2B(CH_2O)$에는 2중 결합이 있다.

**오답피하기** ㄷ. C(H)의 산화수는 AC(LiH)에서 −1, $C_2B(H_2O)$에서 +1이므로 서로 다르다.

### 3 분자를 구성하는 원자

(가)의 모든 원자가 옥텟 규칙을 만족하므로 W와 X는 N, O, F 중 하나이다. 또 (가)는 분자당 구성 원자 수가 4이므로 $NF_3$이다. 따라서 W와 X는 각각 N, F 중 하나인데, 전기 음성도는 X가 W보다 크므로 X는 F, W는 N이다. Y와 Z는 각각 H와 O 중 하나이다. (나)는 N, O, H로, (다)는 F, O, H로 이루어진 분자이며 중심 원자가 옥텟 규칙을 만족하므로 (나)는 H−N=O, (다)는 H−O−F이다.

(가) :F̤−N̈−F̤: (아래 :F̤:)　(나) H−N̈=Ö:　(다) H−Ö−F̤:

**정답 맞히기** ㄱ. (가)는 $NF_3$이고 중심 원자에 비공유 전자쌍이 1개 있으므로 분자 모양은 삼각뿔형으로 극성 분자이다.

ㄴ. (나)와 (다)는 모두 중심 원자에 2개의 원자가 결합되어 있으나, (나)는 중심 원자에 비공유 전자쌍이 1개 있고 (다)는 중심 원자에 비공유 전자쌍이 2개 있으므로 결합각은 비공유 전자쌍 수가 작은 (나)가 (다)보다 크다.

**오답피하기** ㄷ. 다중 결합이 있는 것은 (나) 1가지이다.

## 4 화학 반응에서의 양적 관계

화학 반응 전과 후에 전체 질량은 변하지 않는다. 즉, 반응물과 생성물을 구성하는 원소의 종류와 개수는 변하지 않는다. 반응 모형에서 5몰의 AB 중에서 1몰은 반응하지 않고, 4몰의 $AB_2$와 1몰의 $C_2$가 생성되었으므로 전체 반응식은 다음과 같다.

$2X+4AB \longrightarrow 4AB_2+C_2$

**정답 맞히기** ㄱ. 반응 모형에서 반응 후에 비해 반응 전에 부족한 원자 모형은 C 2개와 B 4개이며, 이들 원자로 2개의 X 분자 모형을 형성해야 하므로 X의 분자식은 $CB_2$이다.

ㄴ. 전체 반응에서 2몰의 X와 4몰의 AB가 반응했으므로 반응 몰비는 1 : 2이다.

**오답피하기** ㄷ. 강철 용기에서 반응시켰으므로 반응 전과 후 부피는 같으며, 질량 보존 법칙에 따라 반응 전과 후의 전체 기체의 질량도 같으므로 밀도는 반응 전과 후가 같다.

## 5 바닥상태 원자의 전자 배치

A~C의 전자 수는 각각 8, 9, 11이므로 A~C의 전자 배치는 다음과 같다.

A: $1s^2 2s^2 2p_x^2 2p_y^1 2p_z^1$

B: $1s^2 2s^2 2p_x^2 2p_y^2 2p_z^1$

C: $1s^2 2s^2 2p_x^2 2p_y^2 2p_z^2 3s^1$

**정답 맞히기** ㄱ. A와 B는 $s$ 오비탈에 들어 있는 전자 수가 4로 같으므로 ㉠은 $s$, ㉡은 $p$이다.

**오답피하기** ㄴ. 전자가 들어 있는 오비탈 수는 A와 B가 5로 같다.

ㄷ. A의 홀전자 수는 2, B의 홀전자 수는 1, C의 홀전자 수는 1이다. 따라서 홀전자 수는 A가 C보다 크다.

## 6 퍼센트 농도를 몰 농도로 환산

**정답 맞히기** ㄱ. 0.1 M 황산 수용액 1 L를 만드는 데 필요한 황산의 질량 $x$(g)를 구하면 $x$=황산의 양(몰)×황산의 분자량 $=H_2SO_4(aq)$의 몰 농도×0.1 M $H_2SO_4(aq)$의 부피×황산의 분자량=0.1몰/L×1 L×98 g/몰=9.8 g이다. 따라서 $x$는 9.8이다.

ㄴ. 0.1 M 황산 수용액 1 L를 만드는 데 필요한 98% 황산의 질량 $y$(g)는 $y=\frac{98\%\ 황산\ 100\ g}{황산\ 98\ g}\times 황산\ 9.8\ g=10(g)$이다.

따라서 $y$는 10이다.

ㄷ. 98% 황산의 밀도 $d$(g/mL)를 이용하여 98% 황산 10 g의 부피 $z$(mL)를 구하면 $z=\frac{1\ mL}{d\ g}\times y\ g=\frac{1\ mL}{d\ g}\times 10\ g=\frac{10}{d}$(mL)이다. 따라서 $z=\frac{10}{d}$이다.

## 7 산화수와 산화 환원 반응의 화학 반응식

산화 환원 반응에서 증가한 산화수의 총합과 감소한 산화수의 총합은 같아야 한다. M의 산화수는 3 증가하고 O의 산화수는 2 감소하며, M $a$몰이 반응할 때 O $2b$몰이 반응하므로 $a\times3=2b\times2$의 관계가 성립한다. 따라서 $3a=4b$이므로 $a : b=4 : 3$이다.

## 8 순차 이온화 에너지

**정답 맞히기** X~Z는 제2 이온화 에너지($E_2$)와 제3 이온화 에너지($E_3$) 중 크게 증가하는 이온화 에너지가 없으므로 X~Z에는 1족, 2족 원소가 없다. 원자 번호가 1만큼 차이나는 두 원자는 $E_1$~$E_3$ 중에서 1가지 이상이 원자 번호 크기의 경향과 반대 경향을 보인다. X~Z는 $E_1$~$E_3$의 크기가 모두 Z>Y>X로 같으므로 X~Z에서 각각 두 원자는 원자 번호가 2 이상만큼 차이난다. 따라서 X~Z는 각각 13족 원소, 15족 원소, 17족 원소이다.

## 9 화학 반응에서의 양적 관계

실험 Ⅰ에서 기체 $A_2$ 30 L(1몰)와 기체 $B_2$ 20 L($\frac{2}{3}$몰)가 반응하면 $A_2$ 1몰이 모두 반응하고 X가 1몰 생성되므로 $A_2$와 X의 반응 몰 비는 1 : 1이다.

실험 Ⅱ에서 기체 $A_2$ 10 L($\frac{1}{3}$몰)와 기체 $B_2$ 3 L(0.1몰)가 반응하면 $B_2$ 0.1몰이 모두 반응하고 X가 0.2몰 생성되므로 $B_2$와 X의 반응 몰 비는 1 : 2이다.

따라서 $A_2$와 $B_2$가 반응하여 X가 생성되는 반응의 화학 반응식은 다음과 같다.

$2A_2(g)+B_2(g) \longrightarrow 2X(g)$

**정답 맞히기** ㄱ. 실험 Ⅱ에서 $B_2$ 0.1몰이 $A_2$ 0.2몰과 반응하여 X 0.2몰을 생성하였다. 반응 전 $A_2$는 $\frac{1}{3}$몰이고 반응한 $A_2$는 0.2몰이므로, 남은 기체 (가)는 $A_2$이다.

**오답피하기** ㄴ. X는 A 원자 2개와 B 원자 1개로 이루어졌으므로 X의 분자식은 $A_2B$이다.

ㄷ. $B_2$와 X의 반응 몰 비는 1 : 2이고, 실험 Ⅰ에서 생성된 X가 1몰이므로 반응한 $B_2$는 0.5몰이다. 따라서 실험 Ⅰ에서 $B_2$ $\frac{2}{3}$몰 중 0.5몰이 반응했으므로 남은 기체 $B_2$의 양(몰)은 $\frac{1}{6}$몰이다.

## 10 산 염기 반응

**정답 맞히기** 양이온과 음이온의 전하가 각각 +1, −1이므로 수용액에서 양이온 수와 음이온 수가 같다.

혼합 용액의 부피가 40 mL일 때, 수용액에 들어 있는 이온 수를 $N$, $N$, $2N$, $4N$이라고 하면 $N+N+2N=4N$이므로 $Cl^-$의 수는 $4N$이고, $Na^+$, $K^+$, $H^+$의 수는 각각 $N$, $N$, $2N$ 중 하나이다.

혼합 용액의 부피가 60 mL일 때, 수용액에 들어 있는 이온 수를

$N'$, $N'$, $4N'$, $4N'$이라고 하면 $N'+4N'=N'+4N'$이므로 $Cl^-$과 $OH^-$의 수는 각각 $4N'$, $N'$이다. $Cl^-$의 수는 일정하므로 $N=N'$이고, $Na^+$과 $K^+$의 수는 각각 $N$, $4N$ 중 하나이다. $Na^+$의 수는 일정하므로 $Na^+$과 $K^+$의 수는 각각 $N$, $4N$이다.

혼합 용액의 부피가 80 mL일 때, 수용액에 들어 있는 이온 수를 $N''$, $3N''$, $4N''$, $6N''$이라고 하면 $N''+6N''=3N''+4N''$이다. $Na^+$과 $Cl^-$의 수는 $N$, $4N$으로 일정하므로 $N=N''$이고, $K^+$과 $OH^-$의 수는 각각 $6N$, $3N$이다. 혼합 용액의 부피가 60 mL일 때 $K^+$의 수는 $4N$, 혼합 용액의 부피가 80 mL일 때 $K^+$의 수는 $6N$이므로 KOH($aq$) 20 mL에 들어 있는 $K^+$의 수는 $2N$이고, 혼합 용액의 부피가 40 mL일 때 $K^+$의 수는 $2N$이다. KOH($aq$)을 넣기 전 혼합 용액의 부피는 20 mL이므로 HCl($aq$) 10 mL와 NaOH($aq$) 10 mL를 혼합한 것을 알 수 있다. HCl($aq$) 10 mL에 들어 있는 $Cl^-$의 수는 $4N$이고, KOH($aq$) 20 mL에 들어 있는 $K^+$의 수는 $2N$이다. 따라서 단위 부피당 양이온 수 비는

HCl($aq$) : KOH($aq$) $=4N : \frac{2N}{2}=4:1$이고,

$\frac{\text{KOH}(aq)\text{의 단위 부피당 양이온 수}}{\text{HCl}(aq)\text{의 단위 부피당 양이온 수}}=\frac{1}{4}$이다.

# 14회 미니모의고사

본문 49~51쪽

| | | | | |
|---|---|---|---|---|
| 1 ⑤ | 2 ④ | 3 ③ | 4 ② | 5 ② |
| 6 ③ | 7 ② | 8 ⑤ | 9 ④ | 10 ① |

## 1 분자의 분류

HCN, $CS_2$, $NCl_3$ 중 극성 분자는 HCN, $NCl_3$이고, 무극성 분자는 $CS_2$이다. HCN, $NCl_3$ 중 입체 구조인 분자는 $NCl_3$이다. 따라서 (가)~(다)는 각각 $NCl_3$, HCN, $CS_2$이다.

**정답 맞히기** ㄱ. 공유 전자쌍 수는 $NCl_3$가 3, HCN이 4이므로 (나)가 (가)보다 크다.

ㄴ. $CS_2$는 C 원자와 S 원자 사이에 2중 결합이 있으므로 직선형 구조이고, 결합각이 180°이다. $NCl_3$는 삼각뿔형 구조이므로 결합각이 $CS_2$보다 작다.

ㄷ. HCN는 C 원자와 N 원자 사이에 3중 결합이 있고, $CS_2$는 C 원자와 S 원자 사이에 2중 결합이 있다.

## 2 원자의 표시

(가)~(다)에서 양성자수, 중성자수, 전자 수는 다음과 같다.

| 원자 또는 이온 | (가) | (나) | (다) |
|---|---|---|---|
| 양성자수 | 6 | 8 | 8 |
| 중성자수 | 8 | 10 | 8 |
| 전자 수 | 6 | 8 | 10 |

**정답 맞히기** ㄴ. (가)와 (다)는 중성자수가 8로 같다.

ㄷ. (나)와 (다)는 양성자수가 같으므로 원자 번호가 같다.

**오답 피하기** ㄱ. 원자는 전기적으로 중성인 입자이며 양성자수와 전자 수가 같다. 따라서 (가)와 (나)는 원자이고, (다)는 전자 수 > 양성자수이므로 음이온이다.

## 3 화학 결합과 화합물

화학 결합 모형으로 보아 (가)와 (나)의 화학식은 다음과 같다.

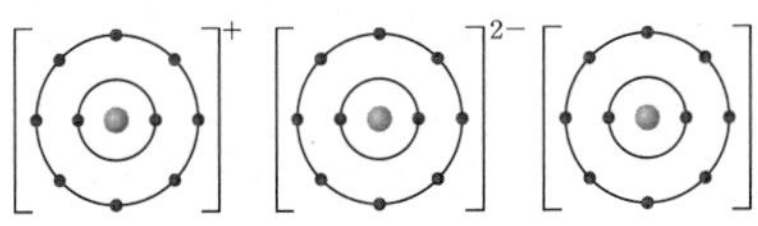

(가) $Na_2O$

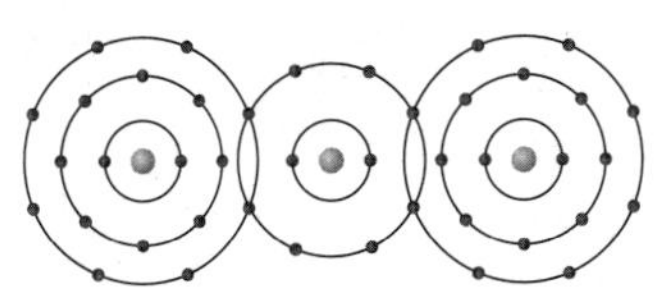

(나) $OCl_2$

**정답 맞히기** ㄱ. A는 Na, B는 O, C는 Cl이다. 원자 반지름은 A가 가장 크다.

ㄴ. 비공유 전자쌍 수는 $C_2(Cl_2)$가 6, $B_2(O_2)$가 4이다.

오답피하기 ㄷ. AC는 NaCl이므로 NaCl($l$)은 전기 전도성이 있다.

## 4 산화수

(가)~(다)에서 원소의 산화수는 다음과 같다.

(가) $\underset{+1\,+1+4-2}{NaHCO_3} + \underset{+4-2}{SO_2} \longrightarrow \underset{+1+1+4-2}{NaHSO_3} + \underset{+4-2}{CO_2}$

(나) $2\underset{+1\,+1+4-2}{NaHSO_3} + \underset{0}{Zn} \longrightarrow \underset{+1\,+3-2}{Na_2S_2O_4} + \underset{+2\,-2+1}{Zn(OH)_2}$

(다) $2\underset{+1\,+1+4-2}{NaHSO_3} + \underset{0}{O_2} \longrightarrow 2\underset{+1+1+6-2}{NaHSO_4}$

정답 맞히기 ㄴ. 산화수는 ㉢이 +4, ㉣이 +3, ㉤이 +6이므로 ㉢~㉤의 산화수 합은 13이다.

오답피하기 ㄱ. 산화수는 ㉠과 ㉡이 +4로 같다.

ㄷ. (나)에서 Zn은 산화되므로 환원제이고, (다)에서 $O_2$는 환원되므로 산화제이다.

## 5 바닥상태 전자 배치

바닥상태 전자 배치는 B가 $1s^22s^22p^1$, N가 $1s^22s^22p^3$, F이 $1s^22s^22p^5$, Mg이 $1s^22s^22p^63s^2$이다. 바닥상태에서 전자가 들어 있는 $p$ 오비탈 수는 B가 1, N가 3, F이 3, Mg이 3으로, 전자가 들어 있는 $p$ 오비탈 수는 Y가 Z보다 크므로 Z는 B이다. 원자가 전자 수가 W가 X보다 크므로 X는 원자가 전자 수가 가장 큰 F이 아니고, 바닥상태에서 홀전자 수가 X가 Y보다 크므로 X는 홀전자 수가 0인 Mg일 수 없으므로 X는 N이다. X(N)보다 원자가 전자 수가 큰 W는 F이며, Y는 Mg이다.

정답 맞히기 ㄷ. 바닥상태에서 전자가 들어 있는 오비탈 수는 Y(Mg)가 6, Z(B)가 3으로 Y가 Z의 2배이다.

오답피하기 ㄱ. X는 N이다.

ㄴ. W(F)는 2주기 원소, Y(Mg)는 3주기 원소로 같은 주기 원소가 아니다.

## 6 O, Mg, Al의 주기적 성질

$\frac{\text{원자 반지름}}{\text{이온 반지름}}$은 A가 1보다 크고, C가 1보다 작으므로 C는 O(산소)이다. 전기 음성도는 Mg이 Al보다 작고 제1 이온화 에너지는 Mg이 Al보다 크므로 $\frac{\text{전기 음성도}}{\text{제1 이온화 에너지}}$는 Mg이 Al보다 작다. 즉, A는 Mg(마그네슘), B는 Al(알루미늄)이다.

정답 맞히기 ㄱ. 제2 이온화 에너지는 Mg<O이고 제3 이온화 에너지는 Mg>O이므로 C는 O(산소)이다.

ㄷ. $\frac{\text{제3 이온화 에너지}}{\text{제2 이온화 에너지}}$는 A(Mg)가 C(O)보다 크다.

오답피하기 ㄴ. 같은 주기에서 원자 번호가 작을수록 원자 반지름이 크므로 원자 반지름은 A(Mg)가 B(Al)보다 크다.

## 7 화학 반응식

화학 반응에서 반응 전과 후의 질량은 일정하게 유지된다. 따라서 반응물과 생성물을 구성하는 원소의 종류와 개수가 같아야 하므로 반응물과 생성물 앞에 적절한 계수를 이용하여 화학 반응식을 완성한다. 이때 반응 계수는 가장 간단한 정수 비가 되도록 맞춘다. 또한 반응 계수 비는 반응물과 생성물의 몰 비와 같다.

정답 맞히기 $C_3H_4$의 완전 연소 반응에서 반응 전과 후 C, H, O의 개수가 같아야 하므로 $3a=c$, $4a=2d$, $2b=2c+d$가 성립한다. 따라서 연립 방정식을 풀면 $a:b:c:d=1:4:3:2$이고, 화학 반응식은 $C_3H_4+4O_2 \longrightarrow 3CO_2+2H_2O$이다. $C_3H_4$의 분자량은 40이므로 $C_3H_4$ 20 g의 양(몰)은 0.5이다. 따라서 생성되는 $CO_2$의 양(몰) $x=1.5$이고, $\frac{c+d}{a+b}\times x=\frac{3+2}{1+4}\times\frac{3}{2}=\frac{3}{2}$이다.

## 8 기체의 질량과 부피, 분자량

온도와 압력이 같을 때 기체의 종류에 관계없이 같은 부피에 들어 있는 분자 수가 같다. 따라서 온도와 압력이 같을 때 기체의 부피는 기체의 양(몰)에 비례한다. 14 g의 $X_2Y_4(g)$가 들어 있는 실린더에 서로 반응하지 않는 $XZ(g)$ 7 g, $Y_2Z(g)$ 9 g을 순서대로 넣었을 때 부피는 전체 기체의 양(몰)에 비례한다. 따라서 3가지 기체의 양(몰)과 질량은 다음과 같다.

| 기체 | $X_2Y_4$ | $XZ$ | $Y_2Z$ |
|---|---|---|---|
| 질량(g) | 14 | 7 | 9 |
| 양(몰)(상댓값) | 2 | 1 | 2 |

따라서 분자량 비는 $X_2Y_4:XZ:Y_2Z=14:14:9$이다.

정답 맞히기 ㄱ. 분자량은 1몰의 질량과 같다. 또한 온도와 압력이 같을 때 같은 부피에 들어 있는 기체의 분자 수는 같으므로 이때 기체의 질량은 분자량에 비례한다. 그림 (가)와 (나)를 통해 $X_2Y_4(g)$와 $XZ(g)$ $2V$ L의 질량이 각각 14 g으로 같으므로 $X_2Y_4$와 $XZ$의 분자량은 같다.

ㄴ. 분자량 비가 $X_2Y_4:XZ:Y_2Z=14:14:9$이므로 3가지 기체의 분자량을 각각 $14n$, $14n$, $9n$이라 하고, X~Z의 원자량을 각각 $x$~$z$라 하면 $2x+4y=14n$, $x+z=14n$, $2y+z=9n$이 성립하고, 이를 풀면 $x=6n$, $y=0.5n$, $z=8n$이다. 따라서 원자량 비는 $X:Z=6n:8n=3:4$이다.

ㄷ. $X_2Y_4$와 $Y_2Z$의 분자량은 각각 $14n$, $9n$이므로 1 g에 들어 있는 Y 원자 수는 각각 $\frac{4}{14n}$, $\frac{2}{9n}$이므로 Y 원자 수 비는

$X_2Y_4:Y_2Z=\frac{4}{14n}:\frac{2}{9n}=9:7$이다.

## 9 산 염기 중화 반응

혼합 용액 (가)의 총 부피는 40 mL이고, (나)의 총 부피는 80 mL로 (나)가 (가)의 2배이다. 양이온의 종류가 3가지인 (가)의 액성은 구경꾼 이온 2가지($K^+$, $Na^+$)와 $H^+$을 포함한 산성 용액이다.

(가)에 존재하는 양이온 수를 $8N(=2N+3N+3N)$이라 하면, 혼합 용액 40 mL(단위 부피)에 존재하는 양이온 수가 $8N$이 된다. (가)와 (나)의 단위 부피에 존재하는 양이온 수가 같다고 하였으므로 (나) 용액 40 mL(단위 부피)에 존재하는 양이온 수도 $8N$이 되는데, 실제 혼합 용액 (나)의 부피는 단위 부피의 2배인 80 mL이므로 (나) 안에는 양이온 수가 $8N$의 2배인 $16N$만큼 존재한다. (나)에는 존재하는 양이온의 종류가 2가지이고 이는 구경꾼 이온인 $K^+$과 $Na^+$이다. (나)에 존재하는 2가지의 양이온 수 비가 1 : 3이므로, (나) 80 mL에는 $4N$과 $12N$의 양이온이 존재한다. NaOH의 혼합 전 용액의 부피는 (가)와 (나)에서 1 : 4(5 mL : 20 mL)이므로, 혼합 후 용액 속에 존재하는 구경꾼 이온 $Na^+$의 개수 비는 (가) : (나)에서 1 : 4가 되어야 하고, KOH의 혼합 전 용액의 부피는 (가)와 (나)에서 3 : 4(15 mL : 20 mL)이므로, 혼합 용액 속에 존재하는 구경꾼 이온 $K^+$의 개수 비는 (가) : (나)에서 3 : 4가 되어야 한다. 그러므로 (가)에서 $3N$, (나)에서 $12N$ 존재하는 양이온이 $Na^+$이고, (가)에서 $3N$, (나)에서 $4N$ 존재하는 양이온이 $K^+$이다. (가)에서 $2N$ 존재하는 양이온은 나머지 $H^+$이다.

위의 내용을 정리하면 다음과 같다.

| 혼합 용액 | 혼합 전 용액의 부피와 상대적 이온 수 | | | 단위 부피 (40 mL)당 양이온 수 비 |
|---|---|---|---|---|
| | HCl($aq$) | NaOH($aq$) | KOH($aq$) | |
| (가) | 20 mL<br>$H^+$: $8N$<br>$Cl^-$: $8N$ | 5 mL<br>$Na^+$: $3N$<br>$OH^-$: $3N$ | 15 mL<br>$K^+$: $3N$<br>$OH^-$: $3N$ | $H^+ : Na^+ : K^+$ $=2:3:3$ |
| (나) | 40 mL<br>$H^+$: $16N$<br>$Cl^-$: $16N$ | 20 mL<br>$Na^+$: $12N$<br>$OH^-$: $12N$ | 20 mL<br>$K^+$: $4N$<br>$OH^-$: $4N$ | $Na^+ : K^+$ $=3:1$ |

(가)에서는 $6N$의 $OH^-$과 $6N$의 $H^+$이 반응하여 $6N$의 $H_2O$을 생성하고 $2N$의 $H^+$이 남았으므로, $6N$의 물 분자가 생성되었고 용액의 액성은 산성이다. 또한 (나)에서는 $16N$의 $OH^-$과 $16N$의 $H^+$이 반응하여 $16N$의 $H_2O$이 생성되었으므로 용액의 액성은 중성이다.

**정답 맞히기** ㄴ. (가)는 $H^+$이 $2N$ 존재하는 산성 용액이고, 여기에 $OH^-$이 $3N$ 포함된 NaOH($aq$) 5 mL를 더 넣으면 혼합 용액은 $OH^-$이 $N$ 포함된 염기성이 된다.

ㄷ. 생성된 물 분자의 몰 비는 (가)와 (나)가 $6N$ : $16N$으로 3 : 8이다.

**오답피하기** ㄱ. 단위 부피(40 mL)에 존재하는 이온 수는 HCl($aq$)이 $32N$일 때 KOH($aq$)이 $16N$이므로 단위 부피에 존재하는 이온 수 비는 HCl($aq$) : KOH($aq$)가 2 : 1이다.

## 10 화학 반응에서의 양적 관계

A $x$몰에 B의 질량을 달리하여 넣고 반응을 완결시켰을 때 3가지 경우를 고려할 수 있다.

❶ (가), (나)에서 A가 모두 반응하는 경우, (가)와 (나)에서 반응 후 생성되는 C의 양(몰)은 같지만 남아 있는 B의 양(몰)은 (나)에서가 (가)에서보다 크므로 $\frac{n_{생성물}}{n_{반응물}}$은 (나)에서가 (가)에서보다 작다. 따라서 이 경우는 주어진 자료에 모순이다.

❷ (가), (나)에서 B가 모두 반응하는 경우, (가)와 (나)에서 반응 후 생성되는 C의 양(몰)은 (나)에서가 (가)에서보다 크고, 남아 있는 A의 양(몰)은 (가)에서가 (나)에서보다 크므로 $\frac{n_{생성물}}{n_{반응물}}$은 (나)에서가 (가)에서보다 크므로 주어진 자료에 부합하며 양적 관계는 다음과 같다. B 4 g의 양(몰)을 $y$라고 할 때, B 12 g의 양(몰)은 $3y$라고 할 수 있다.

[(가)의 경우]

| | $a$A | + | B | ⟶ | 2C |
|---|---|---|---|---|---|
| 반응 전(몰) | $x$ | | $y$ | | 0 |
| 반응(몰) | $-ay$ | | $-y$ | | $+2y$ |
| 반응 후(몰) | $x-ay$ | | 0 | | $2y$ |

[(나)의 경우]

| | $a$A | + | B | ⟶ | 2C |
|---|---|---|---|---|---|
| 반응 전(몰) | $x$ | | $3y$ | | 0 |
| 반응(몰) | $-3ay$ | | $-3y$ | | $+6y$ |
| 반응 후(몰) | $x-3ay$ | | 0 | | $6y$ |

(가)에서 $\frac{n_{생성물}}{n_{반응물}}=1$이므로 $x-ay=2y$이고, (나)에서 $\frac{n_{생성물}}{n_{반응물}}=4$이므로 $4x-12ay=6y$이며 $a=\frac{1}{4}$이다. 따라서 $a<1$이므로 제시된 단서에 모순이다.

❸ (가)에서 B가 모두 반응하고 (나)에서 A가 모두 반응하는 경우, $\frac{n_{생성물}}{n_{반응물}}$은 (나)에서가 (가)에서보다 크므로 주어진 자료에 부합한다. 이때의 양적 관계는 다음과 같다.

[(가)의 경우]

| | $a$A | + | B | ⟶ | 2C |
|---|---|---|---|---|---|
| 반응 전(몰) | $x$ | | $y$ | | 0 |
| 반응(몰) | $-ay$ | | $-y$ | | $+2y$ |
| 반응 후(몰) | $x-ay$ | | 0 | | $2y$ |

[(나)의 경우]

| | $a$A | + | B | ⟶ | 2C |
|---|---|---|---|---|---|
| 반응 전(몰) | $x$ | | $3y$ | | 0 |
| 반응(몰) | $-x$ | | $-\frac{x}{a}$ | | $+\frac{2x}{a}$ |
| 반응 후(몰) | 0 | | $3y-\frac{x}{a}$ | | $\frac{2x}{a}$ |

(가)에서 $\frac{n_{생성물}}{n_{반응물}}=1$이므로 $x-ay=2y$이고, (나)에서 $\frac{n_{생성물}}{n_{반응물}}=4$이므로 $12y-\frac{4x}{a}=\frac{2x}{a}$이며 $a=2$이다.

**정답 맞히기** ㄱ. $a=2$이다.

**오답피하기** ㄴ. $x-ay=2y$, $a=2$이므로 $x=4y$이다. (가)에서 생성된 C의 양(몰)은 $\frac{1}{2}x$이고, (나)에서 생성된 C의 양(몰)은 $x$이다. 따라서 생성된 C의 양(몰)은 (나)에서가 (가)에서의 2배이다.

ㄷ. B 16 g은 $4y$몰이므로 다음과 같이 양적 관계를 나타낼 수 있다.

| | 2A | + | B | ⟶ | 2C |
|---|---|---|---|---|---|
| 반응 전(몰) | $x$ | | $4y$ | | 0 |
| 반응(몰) | $-x$ | | $-\frac{x}{2}$ | | $+x$ |
| 반응 후(몰) | 0 | | $4y-\frac{x}{2}$ | | $x$ |

$x=4y$이므로 $4y-\frac{x}{2}=x-\frac{x}{2}=\frac{x}{2}$이다.

따라서 $\frac{n_{\text{생성물}}}{n_{\text{반응물}}}=\frac{x}{\frac{x}{2}}=2$이다.